PSIQUIATRIA E JESUS

ISMAEL SOBRINHO

PSIQUIATRIA E JESUS

TRANSFORME SUAS EMOÇÕES EM 30 DIAS

Copyright ©2023, de Ismael Sobrinho

Todos os direitos desta publicação são reservados por Vida Melhor Editora LTDA.

As citações bíblicas sem indicação da versão *in loco* foram extraídas da Nova Versão Internacional. Outras citações foram extraídas das versões cujas siglas se encontram na "Lista de reduções".

Os pontos de vista desta obra são de responsabilidade de seus autores e colaboradores diretos, não refletindo necessariamente a posição da Thomas Nelson Brasil, da HarperCollins Christian Publishing ou de sua equipe editorial.

Publisher	*Samuel Coto*
Coordenador editorial	*André Lodos Tangerino*
Produção editorial	*Gisele Romão da Cruz*
Preparação	*Gisele Romão da Cruz*
Revisão	*Sônia Freire Lula Almeida* e *Shirley Lima*
Diagramação	*Sonia Peticov*
Capa	*Rafael Brum*

Dados Internacionais de Catalogação na Publicação (CIP)

(BENITEZ Catalogação Ass. Editorial, MS, Brasil)

I81p
1.ed.
	Ismael Sobrinho
	   Psiquiatria e Jesus : transforme suas emoções em 30 dias / Ismael Sobrinho. –
	1.ed. – Rio de Janeiro : Thomas Nelson Brasil, 2023.
	   240 p.; 15,5 x 23 cm.
	
	   ISBN 978-65-5689-691-5
	
	   1. Cristianismo. 2. Jesus Cristo. 3. Mente. 4. Transformação pessoal.
	I. Título.

04-2023/127	CDD: 230

Índice para catálogo sistemático

1. Emoções: Aspectos religiosos: Cristianismo   230

Bibliotecária responsável: Aline Graziele Benitez CRB-1/3129

Thomas Nelson Brasil é uma marca licenciada à Vida Melhor Editora LTDA.
Todos os direitos reservados à Vida Melhor Editora LTDA.
Rua da Quitanda, 86, sala 218 — Centro
Rio de Janeiro — RJ — CEP 20091-005
Tel.: (21) 3175-1030
www.thomasnelson.com.br

Este livro foi impresso em 2023,
pela Vozes para a Thomas Nelson Brasil.
O papel do miolo é pólen bold 70g/m².

SUMÁRIO

Como ler este livro	7
Antes de começar: Como a personalidade é formada?	11
DIA 1: Jesus quer mudar a sua história	25
DIA 2: Escreva a sua história de vida	31
DIA 3: Sente-se no divã de Jesus sem medo	40
DIA 4: O que você esconde	50
DIA 5: Nomeie as suas dores diante de Jesus	57
DIA 6: Identificando os nossos pontos de dor	66
DIA 7: Mude a sua visão de mundo	69
DIA 8: Identifique as distorções da realidade	75
DIA 9: Como Jesus vê os seus sentimentos	81
DIA 10: Como você se sente hoje	89
DIA 11: Jesus sabe que nem tudo é espiritual	94
DIA 12: Sete dicas não medicamentosas para melhorar a saúde mental	102
DIA 13: Jesus compreende a sua ansiedade	113
DIA 14: Confronte os pensamentos ansiosos	127
DIA 15: Jesus compreende a sua depressão	133
DIA 16: Praticando a Palavra de Deus contra a depressão	143
DIA 17: Identifique o *burnout* espiritual	148
DIA 18: Saia do *burnout*	157

DIA 19: Recomece sempre — 162

DIA 20: O que Jesus fazia para organizar as emoções — 170

DIA 21: Não viva um TDAH espiritual — 180

DIA 22: Aprenda a hackear a sua mente com a Palavra de Deus — 188

DIA 23: Conheça o Consolador — 196

DIA 24: Morra para si mesmo — 201

DIA 25: A teologia que adoece — 205

DIA 26: Descubra a felicidade segundo Jesus — 210

DIA 27: Pratique as bem-aventuranças — 215

DIA 28: Ore como Jesus orou — 223

DIA 29: Saiba quem você é em Cristo — 228

DIA 30: Seja prático e procure ajuda — 235

COMO LER ESTE LIVRO

Este não é um livro de um autor para um leitor. Você está convidado a participar da construção do conteúdo. Praticamente como coautor, você poderá, e eu indico que realmente o faça, fazer anotações em várias páginas desta obra.

Para alguns, pode parecer que proponho um exercício entediante ou até mesmo sem sentido. Contudo, vários estudos científicos demonstram que grafar pode ser extremamente terapêutico. Ao registrar, traduzimos experiências ou reflexões em forma de linguagem escrita de tal maneira que as tornamos mais compreensíveis e palpáveis.

Além disso, redigir é colocar dores, traumas, reflexões, angústias ou emoções no papel. Então, elas são externadas, colocadas para fora. Quando não liberamos nossas emoções, elas ficam armazenadas em nossa mente e podem conduzir à piora da saúde física e emocional. Tudo aquilo que reprimimos nos adoece. Anotar é uma forma de colocar a alma na folha.

A forma mais praticada para manifestar as nossas emoções é a psicoterapia, mas a produção textual também pode ser uma ferramenta impressionante para a melhora da saúde mental. Quando escrevemos, aprimoramos a capacidade de refletir com maior precisão. Assim, é possível ver as situações de diferentes prismas e perceber se determinados traumas, conceitos ou formas de pensar exercem influência na nossa maneira de viver.

Nem todos optarão por colocar no papel as atividades propostas neste livro. Não há problema nessa escolha. Entretanto, reafirmo que você terá resultados mais efetivos se aproveitar cada espaço e anotar as suas reflexões. O fato de poder revisitar o material depois de algumas semanas, meses ou, quem sabe, anos e verificar como a sua forma de pensar, agir e sentir se transformou ao longo do tempo é um benefício adicional de completar as tarefas.

Nesta nossa jornada conjunta de trinta dias, em alguns deles, você somente lerá e refletirá. Em outros, será convidado a registrar poucas informações.

Já em outros, há espaço para mais composições. A intenção deste livro não é ser um roteiro rígido. Logo, se você precisar de mais tempo além dos trinta dias, amplie o prazo. Cada capítulo compreende uma etapa diferente e pode demandar maior ou menor necessidade de dedicação.

Esse roteiro de ler e escrever tem sido muito terapêutico para mim ao longo dos anos. Tenho TDAH (Transtorno do Déficit de Atenção e Hiperatividade) e, nesse quadro psiquiátrico, a mente tende a divagar e ser tomada por um turbilhão de ideias e pensamentos. Registrar o que se passa pela minha cabeça possibilita que eu organize a minha mente em blocos estruturados de perguntas como: "O que estou lendo?", "Como isso afeta a minha vida?", "O que poderei fazer daqui para a frente?". Tomei gosto pela escrita e sempre faço anotações em leituras simples e até mesmo nos meus devocionais.

Dessa forma, se você decidir aceitar tornar-se coautor deste livro, escreva o que vier à sua mente durante a leitura, sem pressa. Não se preocupe em formar um texto organizado nem com perfeição ortográfica e gramatical; apenas despeje no papel o que passar pela cabeça. Anote livremente.

Mesmo que a sua escolha seja fazer apontamentos, se você não se sentir confortável em escrever sobre algum tema específico, não ficará em falta com o compromisso planejado. Pode deixar de lado aquela atividade ou aquele capítulo. O oposto também é possível. Caso você queira desenvolver amplamente um conteúdo e precise de espaço adicional para liberar tudo o que deseja, formule em uma folha de papel ou caderno à parte.

Feitas essas considerações iniciais, fica a pergunta: para quem, de fato, é este livro?

Precisamos, em primeiro lugar, entender que a psiquiatria é a especialidade da medicina que faz diagnósticos e tratamentos relacionados aos transtornos mentais de comportamento. A psiquiatria é, em suma, a arte de compreender e curar as emoções humanas. Enfatizo dessa forma porque sou psiquiatra há quase vinte anos. Durante todo esse período, presenciei inúmeras transformações emocionais feitas por Jesus na vida dos meus pacientes. Esse é o motivo de eu decidir escrever sobre "psiquiatria e Jesus".

Entretanto, Jesus não foi o maior psiquiatra que já existiu. Na verdade, foi algo muito mais sublime e extraordinário. Ele é o Filho de Deus e, durante cerca de trinta e três anos, escolheu habitar entre nós. Não há classificação humana capaz de descrever a grandeza e a beleza de Jesus Cristo.

Se, por um lado, o Mestre é o Filho de Deus, ainda que encarnado, por outro lado, também foi completamente humano, como nós. Há um universo muito amplo de cristãos que acredita que ele não experimentou emoções, tampouco falou sobre sentimentos. De fato, Jesus se alegrou, sentiu fome, teve sono, ficou cansado, teve ansiedade e até mesmo lidou com a tristeza extrema.

Neste livro, veremos como o Senhor curou e transformou muitas pessoas durante seu ministério terreno. Também observaremos que ele viveu emoções como cada um de nós as vivencia e que propôs um caminho para termos mais saúde física, emocional e espiritual. Além disso, aprenderemos um pouco sobre o que a Bíblia diz a respeito de alguns transtornos mentais, como a depressão e a ansiedade.

Não proponho um "guia de sete passos" ou uma "fórmula mágica de transformação das emoções". Contudo, desejo que aprendamos com Jesus rotas que se consolidem em mudanças para o coração e que transformem nossa forma de conceber a saúde mental, para que, no decorrer do tempo e com maturidade, criemos uma espiritualidade emocionalmente saudável.

Oro para que tabus relacionados à saúde mental possam ser desconstruídos na sua mente e que você veja em Jesus todos os recursos necessários para a transformação das suas emoções.

Bora começar?

| ANTES DE COMEÇAR

Como a personalidade é formada?

Registro da genealogia de Jesus Cristo, filho de Davi, filho de Abraão:

Abraão gerou Isaque;

Isaque gerou Jacó;

Jacó gerou Judá e seus irmãos;

Judá gerou Perez e Zerá, cuja mãe foi Tamar;

Perez gerou Esrom;

Esrom gerou Arão;

Arão gerou Aminadabe;

Aminadabe gerou Naassom;

Naassom gerou Salmom;

Salmom gerou Boaz, cuja mãe foi Raabe;

Boaz gerou Obede, cuja mãe foi Rute;

Obede gerou Jessé;

 e Jessé gerou o rei Davi.

Davi gerou Salomão, cuja mãe tinha sido mulher de Urias;

Salomão gerou Roboão;

Roboão gerou Abias;

Abias gerou Asa;

Asa gerou Josafá;

Josafá gerou Jorão;

Jorão gerou Uzias;

Uzias gerou Jotão;

Jotão gerou Acaz;

Acaz gerou Ezequias;

Ezequias gerou Manassés;

Manassés gerou Amom;

Amom gerou Josias;

e Josias gerou Jeconias e seus irmãos no tempo do exílio na Babilônia.

Depois do exílio na Babilônia:

Jeconias gerou Salatiel;

Salatiel gerou Zorobabel;

Zorobabel gerou Abiúde;

Abiúde gerou Eliaquim;

Eliaquim gerou Azor;

Azor gerou Sadoque;

Sadoque gerou Aquim;

Aquim gerou Eliúde;

Eliúde gerou Eleazar;

Eleazar gerou Matã; Matã gerou Jacó;

e Jacó gerou José, marido de Maria, da qual nasceu Jesus, que é chamado Cristo.

Assim, ao todo houve catorze gerações de Abraão a Davi, catorze de Davi até o exílio na Babilônia e catorze do exílio até o Cristo. (Mateus 1:1-17)

Sei que você pode estar ansioso para dar início à nossa jornada de trinta dias o mais breve possível. Entretanto, antes de começar a trajetória de transformação das nossas emoções, considero essencial compreender melhor como a personalidade humana é formada. Ainda que esta parte do livro possa parecer demasiadamente teórica para alguns leitores, será importante para todo o conteúdo apresentado posteriormente.

A genealogia de Jesus também fará parte do estudo, pois é indispensável para nós, cristãos. Nossa crença está firmada no poder de Deus para transformar pessoas, e a ancestralidade de Cristo contém muitas famílias aparentemente disfuncionais. A linhagem do Mestre nos traz a esperança de que o Criador pode recomeçar histórias. Mesmo que a família não seja perfeita e que todos os paradigmas da ciência tentem determinar um fim, todo homem pode ser transformado quando a vida divina entra em contato profundo com a natureza humana.

A psiquiatria e o histórico familiar de Jesus, juntos, nos servirão de base para desvendar como as personalidades estão relacionadas à genética, uma vez que somos intensamente mais reféns da nossa linhagem do que o imaginário comum se dá conta. Não herdamos somente sobrenomes e características físicas; nossa mente também nasce com arquivos mentais instalados anteriormente nos nossos pais.

Quando decidimos nos aprofundar na compreensão das Escrituras, é comum basear alguns dos nossos estudos nos planos de leitura da Bíblia completa. Parte das passagens, porém, parece ser desgastante ou sem sentido. As genealogias estão englobadas nesse grupo. Constantemente, nós as deixamos de lado, ainda que o intuito seja fazer estudos devocionais completos. Existem muitas linhagens familiares. O Evangelho de Mateus, por exemplo, começa com uma longa lista de nomes citados em dezesseis versículos. Esse conjunto narra o ramo de Abraão até Jesus. Seria mera formalidade histórica? De maneira alguma! Nada no texto bíblico é inútil ou foi escrito sem a inspiração do Espírito Santo. Cada detalhe foi adicionado para agregar verdades ao nosso coração. É a soma dos elementos que nos conduz à compreensão do poder transformador e salvador do nosso Senhor Jesus Cristo.

A FORMAÇÃO DA PERSONALIDADE

Personalidade é o conjunto de condutas, emoções, pensamentos e cognições que determinam o padrão comportamental de um indivíduo. É possível simplificar esse conceito para permitir uma fácil compreensão: a personalidade é formada por questões genéticas, ambientais e culturais; é o resultado da soma do temperamento com o caráter.

O temperamento, por sua vez, tem base genética mais inata (biologicamente herdada) e persistente no decorrer da vida. É muito importante assimilar que o pilar do temperamento é genético e mudará pouco ao longo da vida. Entretanto, não é impossível inibir ou impulsionar traços comportamentais que modulam o temperamento.

> Você já se perguntou por que não consegue mudar muito seu temperamento? A resposta é que ele tem maior carga hereditária dos seus pais do que você imagina.

Já a personalidade pode, sim, ser modificada no decurso da vida. Não é imutável nem está isenta de receber intervenção. Quanto mais firme e progressivamente estruturada, porém, mais complexo será transformá-la. Em geral, os grandes tijolos que a constroem são assentados na infância e na adolescência. Esse é o motivo de precisarmos zelar pelos infantes: o período é altamente relevante para definir o que alguém será na fase adulta. Quem você é hoje está muito relacionado aos primeiros anos da sua vida.

TEMPERAMENTO E GENÉTICA

O temperamento de uma pessoa é, sobretudo, geneticamente determinado. De fato, a capacidade de extroversão ou introversão, o humor e todo temperamento basal têm maior predisposição genética do que comumente avaliamos. Dessa forma, a essência do temperamento nos acompanhará por toda a vida. É importante disseminar esse conhecimento, porque tendemos a valorizar certos traços em detrimento de outros. Além disso, constantemente escutamos em ambientes cristãos que as pessoas devem mudar de temperamento.

Nas Escrituras, podemos observar que Deus usou pessoas com temperamentos muito distintos que, mesmo depois de terem um encontro com o Senhor Jesus Cristo, mantiveram sua essência. Paulo, por exemplo, era obstinado em perseguir cristãos; depois de sua conversão, seguiu obstinado, mas em propagar o evangelho. Se, antes, agia pela própria força, posteriormente passou a agir com a mente dominada pelo poder do Espírito. Contudo, continuou a ser o mesmo Paulo quanto à estrutura de temperamento. É possível ver nas entrelinhas de suas cartas traços peculiares de personalidade.

O Eterno usará você com o seu temperamento, mas fará adaptações ao longo de toda a sua caminhada cristã. Não se cobre (como alguns ensinam) para mudá-lo totalmente, pois não é algo científico, nem considero que o Pai deseje isso. Deus é multiforme e saberá encaixar você perfeitamente nos propósitos que ele estabeleceu antes da fundação do mundo. De maneira prática, devemos compreender que o eixo do temperamento é uma mistura da herança genética dos pais. Na fecundação, o material genético da mãe é somado ao do pai. O resultado é a base de temperamento que persistirá para o resto da vida.

Outro ponto importante sobre o tema é que a teoria dos quatro temperamentos de Hipócrates (sanguíneo, fleumático, colérico e melancólico) não é a mais atual nem permite a melhor análise dos temperamentos. Atualmente, trabalha-se com espectros mais amplos, conforme diversas pesquisas recentes.[1] Novos conceitos que unem psicologia e neurociências apresentam modelos superiores. Apenas para ilustração, alguns pesquisadores propõem até doze tipos.

DOZE TIPOS DE TEMPERAMENTOS

- **Obsessivo**: Rígido, organizado, perfeccionista, exigente, lida mal com erros e dúvidas.
- **Eutímico**: Estável, previsível, equilibrado, com boa disposição e, em geral, sente-se bem consigo mesmo.
- **Hipertímico**: Sempre de bom humor, confiante, adora novidades, vai atrás do que deseja até conquistar e tem forte tendência à liderança.
- **Ciclotímico**: Humor imprevisível e instável (altos e baixos), muda rapidamente ou de maneira desproporcional aos fatos.
- **Disfórico**: Tende a ficar tenso, ansioso, irritado e agitado ao mesmo tempo.
- **Volátil**: Dispersivo, inquieto, desligado e desorganizado; precipitado, muda de interesse rapidamente; tem dificuldade em concluir tarefas.
- **Depressivo**: Com tendência à tristeza e à melancolia, vê pouca graça nas coisas, tende a se desvalorizar, não gosta de mudanças e prefere ouvir a falar.
- **Ansioso**: Preocupado, cuidadoso, inseguro, apreensivo e não se arrisca.
- **Apático**: Lento, desligado, desatento, não conclui o que começa.
- **Irritável**: Sincero, direto, irritadiço, explosivo e desconfiado.
- **Desinibido**: Inquieto, espontâneo, distraído, deixa as coisas para a última hora.
- **Eufórico**: Expansivo, falante, impulsivo, exagerado, intenso, não gosta de regras e rotinas.

Obviamente, o modelo exposto é apenas representativo e não deve ser usado fora dos consultórios para diagnósticos sem fundamentação ou sem preparo na área adequada da medicina. Essas informações são úteis para

---

[1] Lara, D.R.; Pinto, O.; Akiskal, H. S. "Toward an integrative model of the spectrum of mood, behavioral and personality disorders based on fear and anger traits", *Clinical Implications, J. Affect Disord.*, ago. 2006, n. 94 (1-3), p. 67-87.

pesquisa e ampla compreensão dos temperamentos por profissionais de saúde mental. Todavia, ao compreender a variabilidade de possibilidades existentes, perceberemos facilmente que somos complexos e diversos na expressão emocional. O importante é que o Senhor nos usa apesar dos prós e contras de todos os temperamentos.

> **Você deve desprender--se do conceito de que tem de mudar toda a sua estrutura de personalidade por se haver tornado cristão.**

Então, qual é a importância do nosso temperamento? Apesar de a essência do nosso temperamento ter ampla determinação genética, não significa que não possa ser modificado ou ter características tanto inibidas como estimuladas. Atualmente, a medicina é enfática ao afirmar que a predisposição genética não é uma sentença rígida que nos define até a morte. Vejamos um exemplo. Dificilmente alguém mais introvertido se tornará extrovertido (ou vice-versa). No entanto, com aprendizado, psicoterapia e estímulos ambientais, o temperamento pode ser aperfeiçoado e sofrer atualizações que possibilitem explorar melhor as potencialidades no âmbito de cada individualidade.

O CARÁTER E AS CONSTANTES MUDANÇAS

Em relação à personalidade (temperamento somado a caráter), é no âmbito do caráter que temos a possibilidade de promover mudanças mais profundas e significativas que alteram nossa estrutura emocional. Se, por um lado, o temperamento é, em grande medida, geneticamente herdado, por outro o caráter sofre constante alteração. Podemos instalar ou desinstalar "pastas" na nossa mente diariamente.

O caráter é constantemente alterado ao longo da vida, seja por meio de experiências, seja por meio da cultura ou da educação, seja ainda pelo meio ambiente, por relacionamentos com outras pessoas ou pelo relacionamento com Deus. Como um todo, nossas vivências são "pastas" que instalamos em nossa base de temperamento que moldam ou desenvolvem nossa personalidade. Tudo o que você aprendeu desde o nascimento modela seu caráter e determina decisões, padrões morais e reações a estímulos, tanto na produção das emoções saudáveis como nas disfuncionais. Assim, não pense na expressão caráter como "bom" ou "mau", mas como as atualizações que você faz em seu computador cerebral ao longo da vida.

Imagine-se construindo uma casa. O temperamento é a fundação, a base na qual toda a casa será construída. Com o passar do tempo, é possível mudar a decoração, o acabamento e até mesmo quebrar algumas paredes; fazer reformas ou promover mudanças conforme surjam novas necessidades importantes para a qualidade de vida. O oposto também é verdadeiro: em alguns momentos, a casa pode ser invadida por algo ruim (cupins, por exemplo) e causar prejuízos. Essas modificações, quando se fala da formação da personalidade, estão sempre relacionadas ao caráter. Logo, mesmo que o temperamento seja herdado, a mente pode ser transformada. A Palavra de Deus nos orienta nesse sentido: "Não se amoldem ao padrão deste mundo, mas transformem-se pela renovação da sua mente, para que sejam capazes de experimentar e comprovar a boa, agradável e perfeita vontade de Deus" (Romanos 12:2). Assim, somos seres humanos com grandes possibilidades de transformação, porque podemos modular o nosso temperamento e modificar estruturas no nosso caráter que mudarão a nossa personalidade. Essa constatação é magnífica e abre um grande leque de oportunidades.

No entanto, talvez você se pergunte qual é a relação de toda essa explicação com a genealogia de Jesus que abre este capítulo. Eu a explicarei no nosso primeiro dia de jornada. Todavia, antes, preciso elucidar melhor algumas teorias estudadas nos nossos dias, com a intenção de tentar definir como moldamos a personalidade e o motivo de ela ter pontos positivos e negativos. É importante aprendermos sobre a formação da mente.

GENÉTICA E COMPORTAMENTO

No que se refere à genética e ao comportamento humanos, um autor muito relevante é Robert Plomin, professor de Genética e Comportamento no Instituto de Psiquiatria do Kings's College, em Londres. No livro *Blueprint: how DNA makes us who we are* [*Blueprint*: como o DNA nos torna quem somos],[2] o autor faz considerações interessantes. Argumenta que as mais recentes pesquisas sobre genética mostram que nosso DNA é, de longe, o fator determinante da nossa personalidade, do nosso comportamento e dos resultados que alcançamos durante a vida, pois responde por até 50-70% do nosso potencial. Esse número é verdadeiro até mesmo depois de incluir algumas variáveis complexas, como *status* social, renda e resultados educacionais.

---

[2] *The MIT Press*, 2018.

Além disso, todos os traços psicológicos mostram a existência de influência genética significativa. Nosso DNA está presente dentro de nossas células, em nossos cromossomos, e o herdamos dos nossos pais.

Na teologia, os defensores da linha de pensamento chamada calvinismo acreditam na doutrina da predestinação. De acordo com esse dogma, há muitas escolhas que estão divinamente predeterminadas. Fazendo um paralelo, nosso cérebro é mais "calvinista" do que cogitamos. Ele vem predeterminado de fábrica. Gêmeos idênticos (com o mesmo material genético) adotados por famílias diferentes mantêm muitas características intrínsecas de personalidade. Apesar de o material genético determinar muito a respeito de personalidade, outras características serão diferentes por causa de ambientes familiares e sociais.

A genética explica mais as diferenças psicológicas existentes entre as pessoas do que todo o restante. Por exemplo, os fatores ambientais mais importantes, como família e escola, respondem por menos de 5% das diferenças relativas à saúde mental ou ao desempenho escolar. A genética é responsável por 50% das diferenças psicológicas, não apenas quanto a saúde mental e desempenho escolar, mas quanto a traços psicológicos, da personalidade às habilidades mentais.[3]

Vejamos um exemplo prático. Sabemos que a inteligência humana depende de fatores genéticos e ambientais. Um dos testes usados para medir uma das esferas da inteligência (o coeficiente de inteligência, Q.I.) mostrará mais resultados herdados do que os não herdados. Mesmo que o meio ambiente seja muito importante, boa parte de nossa inteligência é herdada. Filhos de pais com elevado Q.I. tendem a reproduzir os números em testes de avaliação. Obviamente, isso não se aplica a inteligências que dependem mais do ambiente (inteligência emocional, por exemplo).

Além disso, as diferenças genéticas recebidas dos nossos pais na concepção são a maior fonte da individualidade psicológica e tornam-se muito resilientes ao longo da vida. Para Plomin: "O DNA não é tudo o que importa, porém é mais importante do que tudo". É interessante constatar que 99% de quase 3 bilhões de arranjos em nosso DNA são iguais ao de qualquer outro ser humano; apenas 1% produz as diferenças que temos em relação a todas as outras pessoas. Para boa parte das ciências do comportamento, somos seres com grande predisposição genética.

---

[3]Idem, ibidem.

A GENÉTICA PODE SER MODIFICADA

A genética do comportamento nos apresenta pontos surpreendentes a serem discutidos. Um dos mais relevantes é o que chamamos epigenética (processo de atualização genética), um campo de estudos relativamente recente que investiga como os estímulos do ambiente podem ativar determinados genes e/ou silenciar outros. Ao considerar que o nosso material genético sofre influência do ambiente em que vivemos, podemos compreender mais adequadamente como as experiências são capazes de produzir transformações significativas, como a alteração do nosso DNA, sem modificar a estrutura básica e fundamental do nosso genoma.

Essa atualização genética é a responsável por nos ensinar que o DNA pode modificar-se sem promover mutação (o que poderia causar sérios problemas). Os mecanismos epigenéticos fazem pequenas alterações químicas na sequência de DNA e geram alteração na leitura dos genes. Se, por um lado, o cérebro é "calvinista"; por outro, as escolhas podem mudar o material genético com repercussões na saúde física e mental. O DNA observa os pensamentos e hábitos para produzir uma grande gama de proteínas capazes de fazer bem à saúde e até mesmo mudar a arquitetura dos seus neurônios.

Observe alguns exemplos práticos. O primeiro é sobre como os hábitos melhoram nossa performance cerebral. Vários estudos mostram que, quando fazemos exercícios físicos, nosso DNA ordena a produção de uma proteína considerada um verdadeiro fertilizante cerebral: o BDNF. Essa proteína nos permite produzir novas células cerebrais e fortalecer as já existentes. Assim, o exercício turbina o cérebro, porque, por meio da epigenética, o DNA responde a um estímulo externo.

Outro exemplo é o suposto caso das gêmeas univitelinas Maria e Joana. Por circunstâncias da vida, elas foram criadas por parentes distintos (os pais morreram, e cada uma delas foi criada por uma tia diferente). Maria foi criada por uma tia amorosa, com muito conforto e em um ambiente repleto de carinho e atenção. Foi estimulada, desde pequena, em um ambiente rico e criativo. Joana, por sua vez, não teve essa felicidade. A tia que ficou responsável por ela era impaciente e irritadiça. Na casa dela, raramente havia demonstração de afeto. Mal recebia carinho e atenção, e era vista como um peso por todos.

Hoje sabemos que, apesar de terem nascido com materiais genéticos praticamente idênticos, o ambiente e a história de vida de Maria e Joana acarretam mudanças e adaptações diferentes do material genético por meio de mecanismos epigenéticos. Consequentemente, quando adulta, Joana apresentou predisposição à ansiedade que perdurou por toda a vida. Com Maria, foi diferente: ela se casou, teve uma família feliz e viveu em um ambiente acolhedor.

> **Vários hábitos relacionados à saúde física, mental e até mesmo espiritual podem modificar o DNA e aumentar a saúde física e emocional.**

Na psiquiatria, verificamos o poder da epigenética com facilidade. Filhos de pacientes com depressão ou ansiedade têm maiores chances de desenvolver esses transtornos, embora nem sempre isso ocorra. O ambiente pode modificar eventuais heranças genéticas, e elas podem ser inibidas por hábitos ou pela maneira como cada pessoa foi educada e criada. Além disso, há amplitude de casos de filhos de pessoas psicologicamente muito doentes que não apresentam o mesmo grau de adoecimento que os pais ao longo da vida, em razão das modificações epigenéticas.

Dessa forma, nossas vivências alteram quimicamente a estrutura do nosso material genético, quer de maneira transitória, quer permanente. Literalmente ativamos ou inibimos genes de acordo com as inúmeras necessidades ou os desafios que temos. A ativação pode ocorrer por estresse, nutrição, hábitos de vida, meio ambiente ou inúmeros outros fatores. Cada item gera uma espécie de tatuagem no DNA e modifica posteriormente a maneira pela qual as nossas células trabalham e fazem trocas químicas. O DNA aprende com as nossas experiências, o que pode ser bom ou ruim. O cérebro, por exemplo, pode alterar a fisiologia dos neurônios e sua arquitetura (chamada neuroplasticidade), o que é muito importante para determinar a nossa saúde física e mental. Quanto mais jovens, mais importantes são as modificações epigenéticas, pois determinarão o padrão de saúde mental. Estudos mostram como o estresse na infância pode aumentar o risco de transtornos de ansiedade ou de depressão na idade adulta.[4]

Assim, a genética é muito importante para o nosso comportamento. Se, por um lado, a maior parte da estrutura é determinada pela genética, por outro não somos totalmente reféns dela. Podemos, por meio de hábitos e atitudes, mudar nosso cérebro e promover transformações profundas

---

[4]Targum, S. D.; Nemcroff, C. B. "The effect of early life stress on adult psychiatric disorders", *Innov. Clin. Neurosci.*, 1º jan. 2019, n. 16 (1-2), p. 35-7.

na maneira que vivemos ou pensamos. Você já tinha pensado sobre isso? Alguma vez você levantou a hipótese de que muito do que sente, pensa ou processa psiquicamente é mais hereditário do que imaginava? O nosso DNA escuta, interpreta e se modifica por causa das nossas experiências, ainda que a maior parte da nossa estrutura cerebral seja herdada.

Por fim, as modificações epigenéticas podem ser transmitidas aos descendentes. Desse modo, bons hábitos ou comportamentos (ou o contrário) podem ser transmitidos de uma geração a outra. Nossos descendentes podem herdar adaptações que promovemos em nosso material genético. Considero essa constatação muito intrigante, porque nos torna fruto dos nossos ancestrais. Nossa genealogia, então, exerce grande poder sobre nós. Nossa linhagem importa e muito. Somos o legado dos nossos antepassados e transmissores de DNA aos descendentes.

A GENÉTICA NÃO EXPLICA TUDO

Para não dar excessivo peso à genética na formação da personalidade, apresento, como contraponto acerca da formação da personalidade, a teoria psicanalítica. Sei que muitos fazem duras críticas à psicanálise, e hoje existe uma grande gama de outras linhas de psicoterapia com maior escopo de evidências científicas. Entretanto, a psicanálise foi um marco significativo.

A psicanálise observa principalmente o desenvolvimento da personalidade humana durante a infância (sobretudo a primeira e a segunda infâncias, as quais uniremos e arredondaremos para o período que abrange de 0 a 7 anos). Apesar de complexa, a teoria está basicamente embasada no conceito do Complexo de Édipo. O nome tem origem na mitologia grega e foi inspirado na tragédia *Édipo Rei*, de Sófocles. A trama conta a história de um filho que matou o pai e se casou com a mãe sem saber do parentesco existente entre eles. Quando finalmente descobriram a condição de mãe e filho, já haviam constituído família. Com a notícia, a mãe se matou, e Édipo arrancou os próprios olhos. Que tragédia grega!

O conceito original, apresentado por Freud, defende que o conjunto de sentimentos hostis que o filho tem em relação ao pai e suas associações secundárias são fundamentais para o desenvolvimento da personalidade. Para compreender a relação entre mãe e filha, o erudito utilizou o conceito de Complexo de Édipo feminino, no qual a identificação da filha com a mãe é tão forte que a primeira competiria com a segunda pelo amor do pai.

Assim, a psicanálise freudiana clássica entende que, a partir do Complexo de Édipo, formam-se as estruturas da mente humana. Existiriam, portanto, três grandes estruturas possíveis nas quais todos se encaixariam em algum grau: neurose, psicose e perversão. Quanto maior o grau, maior o sofrimento do sujeito.

A psicanálise contribuiu amplamente para o entendimento da importância das memórias infantis registradas no inconsciente, bem como da relevância da primeira e da segunda infâncias para a formação da personalidade. A infância é o período em que se instala a maior parte dos arquivos que moldam a personalidade. De fato, filhos cujas figuras paterna e materna não são bem estabelecidas têm maior risco de sofrer alterações na estrutura da personalidade e maior predisposição para transtornos mentais.

Para a genética do comportamento, o DNA é o que mais importa; já para a psicanálise, a infância é o que tem mais influência sobre a formação de uma personalidade saudável. Certamente, a teoria tem pontos cegos. Se Freud estivesse vivo hoje, com tanto conhecimento de neurociências disponível, teria aperfeiçoado e evoluído suas constatações iniciais. Contudo, as observações gerais dele são confirmadas atualmente por diversos trabalhos científicos que evidenciam de que forma a dinâmica familiar afeta profundamente nossa estrutura psicológica.

> Para a psicanálise, a genealogia também importa. O convívio, sobretudo com os pais durante a primeira e a segunda infâncias, gera marcas que podem ser determinantes para a resiliência, para a capacidade de lidar com o outro, para a autoestima, para a segurança e para múltiplas outras dinâmicas emocionais.

Outro teórico muito importante para compreendermos melhor as relações de aprendizado e formação da personalidade é Jean William Fritz Piaget. Biólogo e psicólogo suíço, foi considerado um dos mais importantes pensadores do século 20 e criou a Teoria Construtivista. Para ele, as crianças assumem um papel ativo no processo de aprendizagem ao agir como pequenos cientistas. Enquanto realizam experimentos, fazem descobertas e observações sobre o ambiente. À medida que vão interagindo com o mundo, adicionam novos blocos de conhecimentos à base já conhecida. Assim, as crianças adaptam ideias anteriores em verdadeiras trilhas de aprendizado. O desenvolvimento emocional e cognitivo seria, então, progressivo e evoluiria de acordo com a maturação biológica e as experiências de aprendizado obtidas do ambiente.

Na minha concepção, Piaget foi um dos maiores gênios da história e conseguiu, sem a ampla variedade de pesquisas disponíveis hoje sobre neurociências, mostrar que a evolução cognitiva acontece em blocos e é construída ao longo do tempo, não somente durante a primeira e a segunda infâncias. Ao longo de todo o processo de desenvolvimento, nosso cérebro trabalha com conceitos pré-formatados que sofrem constantes evoluções. O nível de estímulo e as oportunidades de um ambiente saudável para a construção criativa determinarão a capacidade de aprendizagem e a estrutura de personalidade.

> **Você também é construtor da sua personalidade.**

Por fim, cito o pensamento de um importante filósofo iluminista. Jean-Jacques Rousseau, além de filósofo, foi teórico político, escritor e compositor. A obra por ele desenvolvida é extensa, mas há um ponto específico que merece a nossa atenção: "O ser humano nasce bom, mas a sociedade o corrompe". Com os conhecimentos atuais sobre genética de comportamento, sabemos que a expressão cunhada por ele não é totalmente verdadeira. Nascemos com o comportamento condicionado pela genética. Da mesma forma, como cristãos, sabemos que o homem nasce contaminado pela semente do pecado original, sendo propenso naturalmente ao erro ou a fazer escolhas que não gostaria de fazer. Entretanto, é inegável que o ambiente em que vivemos pode catalisar ou bloquear as nossas habilidades emocionais.

Paulo, em suas cartas, refere-se ao fato de o homem ser essencialmente mau, tomando como fundamentação Gênesis 6. O pensamento do filósofo de que o ser humano nasce bom e é corrompido depois, portanto, cai por terra. Na verdade, o homem já nasce com as consequências do pecado original (a Queda) e se torna ainda pior, tanto por influência da sociedade quanto pelo fato de ele mesmo dar vazão a seus prazeres e inclinações. Entretanto, Rousseau não estava totalmente errado; afinal, somos, sim, fruto de uma sociedade corrompida que, dependendo do ambiente em que vivemos, também determinará vários blocos importantes da nossa personalidade e estrutura emocional.

Por que todas essas informações são tão importantes e como se conectam à genealogia de Jesus? É possível romper as estruturas emocionais instaladas na nossa personalidade? Pode vir algo bom de famílias com história prévia negativa? Veremos isso no nosso primeiro dia de aprendizado.

Vamos começar!

DIA 1

Jesus quer mudar a sua história

Contudo, aos que o receberam, aos que creram em seu nome, deu-lhes o direito de se tornarem filhos de Deus. (João 1:12)

Se as ciências do comportamento dizem que somos reféns da genética, da infância ou do ambiente em que vivemos, Jesus nos ensina que podemos transpor todas essas variáveis. É possível romper os ciclos. Veremos, ao longo dos próximos dias, como Jesus transformou a vida de diversas pessoas durante seu ministério terreno e ainda continua a fazê-lo. As Escrituras estão repletas de histórias nas quais filhos bons nasceram de pais maus e vice-versa. Assim, não somos meramente reféns da genética ou do meio ambiente; também somos fruto da nossa natureza espiritual, o que transpõe todos os prognósticos médicos ou psicológicos.

Jesus viveu na terra como Deus encarnado em forma humana. Os ancestrais dele não foram apenas homens ou mulheres idôneos que seguiam padrões de comportamento e personalidade perfeitos. Todavia, quando a vida divina entra em uma genealogia, ocorre uma mudança radical. A genealogia de Jesus nos traz grande esperança.

Podemos ver, na linhagem do nosso Senhor, que Deus usou, ao longo da história, pessoas imperfeitas, seja pelo histórico de vida reprovável, seja pela não aceitação social ou por qualquer outro motivo. Muitos pensam que

JESUS QUER MUDAR A SUA HISTÓRIA **25**

somente pessoas perfeitas são usadas pelo Criador para cumprir os propósitos dele. Então, dependendo dos nossos pecados, acreditamos que não há como participar dos planos do Eterno a respeito da terra. Também anulamos pessoas quando sabemos de suas histórias e as excluímos de nosso convívio pessoal, profissional ou mesmo social. Jesus, porém, não exclui ninguém.

Para tornar nossa reflexão mais clara, analisaremos algumas das mulheres descritas na genealogia do Senhor. Tamar teve relações sexuais com seu próprio sogro, Judá, com quem teve filhos gêmeos, Perez e Zera (Gênesis 38). Na época, o fato de se tornar viúva dava a Tamar o direito de se casar com o cunhado para dar continuidade à descendência. Entretanto, após o sogro se negar a fazê-lo, ela se disfarçou de prostituta para dormir com ele e foi assim que engravidou dos gêmeos. A história densa reúne omissão do sogro, mentiras de Tamar e sexo ilícito, ato imoral duramente repreendido por Deus. Entretanto, Tamar está na genealogia de Jesus Cristo. A graça do Eterno muda histórias de vida e utiliza uma totalmente fora do esquadro moral.

Na minha família, o meu pai constantemente traía a minha mãe. Além disso, muitas vezes, ele se mostrou ausente e distante. Quando ele conheceu Jesus, porém, tornou-se filho de Deus e teve a vida totalmente transformada. A partir daquele momento, iniciou-se um novo ciclo em nossa casa. Todos os prognósticos que a psicologia poderia estabelecer foram rompidos. O Criador realmente faz novas todas as coisas — e pessoas.

> **Não há nada em sua história de vida que o Senhor não possa transformar.**

Talvez você também já tenha agido de modo reprovável diante de Deus e dos homens e, por isso, acredite que a sua vida está acabada e que não há mais possibilidade de participar dos planos divinos. Você está preso ao passado. Contudo, a história de Tamar vai na contramão desse pensamento. Por maiores que tenham sido os erros, as mentiras e as consequências, o Senhor permite recomeços e permite que você conte histórias que ecoarão por toda a eternidade. O Eterno não usa apenas pessoas com histórico moralmente aceito. Tamar está na genealogia do Salvador pela graça transformadora.

A segunda mulher na linhagem do Mestre era uma prostituta, o que corrobora as afirmações acerca de Tamar. Raabe tem a vida registrada no livro de Josué (2:1-22; 6:17-25). A Palavra de Deus conta que ela hospedou em sua casa, que ficava nos muros de Jericó, dois espiões enviados por Josué para conhecer a terra. De alguma forma, a notícia de que espiões

26 PSIQUIATRIA E JESUS

israelitas estavam na cidade chegou ao rei, e Raabe os protegeu em sua casa. Posteriormente, ela foi salva por Josué e também fez parte da genealogia de Jesus. Sim, uma prostituta.

Esse é mais um exemplo bíblico de como, no Senhor, não somos reféns da nossa história. Sempre existe a possibilidade de recomeçar. Vimos anteriormente que refletimos o comportamento dos nossos antepassados e pudemos compreender que famílias desestruturadas tendem a ter diversos problemas. Ao retomar a genealogia de Jesus, outra mulher usada pelo Criador que está na árvore genealógica de Jesus é Bate-Seba. A história dela também vai na contramão do que pensaríamos para um enredo no qual esperaríamos encontrar somente famílias perfeitas. Ela já era casada com Urias, um soldado do exército real, quando se envolveu com o rei Davi. Tudo que se sabe é que, certo dia, ela foi vista pelo regente enquanto tomava banho em um terraço no período em que o marido estava no campo de batalha.

> Deus usa pessoas improváveis. Ele usou uma prostituta para cumprir seu propósito.

Davi ficou impressionado com a beleza de Bate-Seba e não controlou seus desejos pecaminosos. Inicialmente, o rei não sabia quem ela era, mas logo foi informado por seus servos que se tratava da esposa de um de seus guerreiros. Mesmo assim, ordenou que ela fosse levada ao palácio, onde concretizaram o pecado de adultério. Dias depois da relação sexual, o rei descobriu que a engravidara. Tentou, então, a todo custo, fazer Urias pensar que o filho era dele, trazendo-lhe de volta da guerra para ter uma noite de amor com a esposa. Caso isso acontecesse, Urias não suspeitaria de que a gravidez dela era anterior àquela noite.

Urias, porém, não aceitou ir para casa e se deitar com a esposa enquanto seus companheiros estavam engajados na guerra. Davi chegou a embriagá-lo, mas ele não cedeu. O rei se afundou ainda mais no pecado: ordenou que o soldado fosse colocado na frente da batalha, para ser morto (2Samuel 11). Passado o luto, tomou Bate-Seba em casamento. O regente foi duramente repreendido por Deus por seus atos e sofreu graves consequências em sua família, de modo que foi afetado pelo restante de sua vida.

> Até mesmo após pecados abomináveis, o Senhor pode reescrever uma história.

Entretanto, há uma história de graça e de recomeço. A Bíblia nos ensina que, apesar de Davi ter outras mulheres, é Bate-Seba quem aparece na genealogia de Jesus. Depois de casada com

Davi, ela engravidou de um filho muito precioso, chamado Salomão. As Escrituras deixam um relato lindo e impactante: "Depois Davi consolou sua mulher Bate-Seba e deitou-se com ela, e ela teve um menino, a quem o rei deu o nome de Salomão. O SENHOR o amou" (2Samuel 12:24). Salomão foi o descendente do rei que deu sequência à promessa divina sobre o Messias. Salomão está na genealogia de Jesus, mesmo sendo fruto de uma relação que começou ilícita.

Muitos leitores também nasceram em famílias disfuncionais. Alguns nunca conheceram o pai. Outros foram abandonados pela mãe. A sua família pode ter um roteiro triste de pecado, abandonos ou assassinatos. O Pai, porém, é capaz de mudar o rumo da sua vida e fazer que todas essas histórias não sejam determinantes para o que ele fará por meio de você. O Deus da graça usa famílias imperfeitas. Na linhagem de Jesus, isso é muito evidente.

Como eu disse, vim de uma família totalmente desestruturada. Os meus pais viviam em constantes conflitos, apesar de demonstrarem muito amor para conosco. O meu pai bebia muito, traía minha mãe e tinha constantes oscilações emocionais. Além disso, o histórico espiritual era totalmente contrário aos ensinos bíblicos. A nossa família não era exemplo espiritual e moral para ninguém que nos conhecia. Entretanto, um dia a vida de Jesus entrou no coração dos meus pais e passamos a viver um tempo novo. O Senhor rompeu todos os paradigmas comportamentais da nossa genealogia. Hoje, os meus pais são pessoas que demonstram como o poder de Deus transforma personalidades.

Jesus modifica a nossa herança espiritual.

O histórico espiritual da genealogia de Jesus também é relevador. É óbvio que ser criado em um lar cristão espiritualmente saudável é uma grande dádiva para todos nós que vivemos em um mundo caído e corrompido. A linhagem do Salvador nos ensina que Deus, ao longo da história, concedeu graça e misericórdia a famílias com históricos nos quais a mentira, a violência e a vida espiritual são totalmente discordantes do que era prescrito ao povo.

Se observarmos Abraão, Isaque e Jacó, veremos que, em alguns momentos, eles mentiram ou não confiaram nas promessas do Criador. Ainda assim, receberam graça e misericórdia. As primeiras famílias divinamente usadas para realizar os propósitos celestiais não eram grandes exemplos morais, éticos ou espirituais. Entretanto, a graça reinou. Famílias disfuncionais, com flagrantes históricos de abuso e negligência foram chamadas a participar da aliança e estão presentes na genealogia de Jesus.

Os antepassados de Jesus também nos ensinam muito sobre como a vida do Filho de Deus é capaz de romper toda maldição hereditária espiritual. Há uma tendência cristã no nosso tempo a dar excessivo valor à quebra de infortúnios. Muitos são orientados a quebrar exaustivamente as amarras de seus antepassados. Em muitos círculos católicos e evangélicos, ensina-se sobre maldição hereditária como causa dos males que muitos vivem.

> Não importa como é a sua família hoje, Deus pode exercer graça e usá-la para cumprir seus propósitos.

Entretanto, um olhar atento sobre a linhagem de Cristo novamente nos traz a verdadeira libertação. Ao realizar seus propósitos, Deus atua em pessoas com histórico familiar espiritual pecaminoso, idólatra ou até envolto com práticas espirituais ilícitas. O rei Roboão governou Judá com muita violência. Acaz queimou os próprios filhos e executou o profeta Isaías. Manassés foi feiticeiro e se envolveu com ocultismo, revelando-se um dos piores reis da história de Israel. Todos estão na genealogia de Jesus. Deus reconstrói histórias espirituais. O poder de Deus é capaz de cumprir seus propósitos mesmo em meio a genealogias espirituais corrompidas.

Quantos de nós desejaríamos nascer em famílias provenientes de homens e mulheres como os do Salvador? Ninguém! Entretanto, a genealogia de Cristo nos mostra que, além de não sermos reféns da genética, da história dos antepassados nem da nossa criação, também não precisamos ficar presos à herança espiritual deles. Deus poderia ter delineado, ao longo dos séculos, uma genealogia perfeita para Jesus, mas optou por não fazê-lo, o que reflete graça, misericórdia e inúmeras possibilidades de reconstrução, a despeito do que vivemos ou somos hoje.

> Quando Jesus entra em sua vida, você deve dedicar-se a conhecê-lo cada vez mais, sem se preocupar com a quebra de maldições espirituais.

A vida do Senhor rompeu todos os paradigmas comportamentais, genéticos e espirituais porque nele estava a vida divina. Alguns argumentariam que ocorreu dessa forma por ele ser o Cristo, não um ser humano qualquer. Entretanto, a Bíblia afirma que todos aqueles que recebem Jesus no coração se tornam filhos de Deus e passam a ter uma nova natureza espiritual. Essa natureza tem poder para transformar todas as demais áreas e possibilitar a construção de uma nova história:

Contudo, aos que o receberam, aos que creram em seu nome, deu-lhes o direito de se tornarem filhos de Deus, os quais não nasceram por descendência natural, nem pela vontade da carne nem pela vontade de algum homem, mas nasceram de Deus (João 1:12,13).

Cristo nos redimiu da maldição da Lei quando se tornou maldição em nosso lugar, pois está escrito: "Maldito todo aquele que for pendurado num madeiro" (Gálatas 3:13).

Em Cristo, um novo nascimento acontece. A nossa identidade é transformada. Nós nos tornamos filhos de Deus, e as maldições são quebradas. Nascemos de novo não biologicamente (da nossa descendência natural) ou por obra humana, mas com um poder que provém do próprio Deus. Ao longo deste livro, mostrarei como, em vários momentos, Jesus mudou a história de muitas pessoas e por que você não precisa ser refém do seu histórico de vida. Além disso, o Senhor nos provoca a sempre olhar para a frente, sem ficarmos presos ao passado. Cristo inaugurou uma nova era, na qual antepassados e históricos de vida podem ser ressignificados.

REFLEXÃO

Jesus pode reconstruir sua família e proporcionar um tempo novo, independentemente de onde você tenha nascido e de qual seja a sua história.

VERSÍCULO PARA MEDITAR

Eu sou o SENHOR, o Deus de toda a humanidade. Há alguma coisa difícil demais para mim? (Jeremias 32:27)

DIA 2

Escreva a sua história de vida

PRÁTICA 1
DICA DE PSIQUIATRIA: INVESTIGUE A SUA GENÉTICA PARA TRANSTORNOS EMOCIONAIS

Ao falar sobre saúde emocional e história familiar, temos de abordar a genética. De fato, depressão, ansiedade e diversos outros transtornos mentais podem ser genéticos. Se descobrir algum parente com um desses transtornos, você deve procurar ajuda profissional rapidamente. Por exemplo, quem tem familiares de primeiro grau (pais ou filhos) com depressão, pode ter um risco duas ou três vezes maior de desenvolver a doença, em comparação a quem não apresenta casos na família.[1]

Na figura a seguir, escreva, dentro de cada espaço, informações sobre seus pais e avós no quesito *transtorno psiquiátrico* (depressão, ansiedade, transtorno bipolar e outros). Por exemplo, se sua mãe tem depressão, você anotará "depressão".

---

[1]Lohoff, F. W. "Overview of the genetics of major depressive disorder", *Curr. Psychiatry Rep.*, 12 dez. 2010, n. 6, p. 539-40.

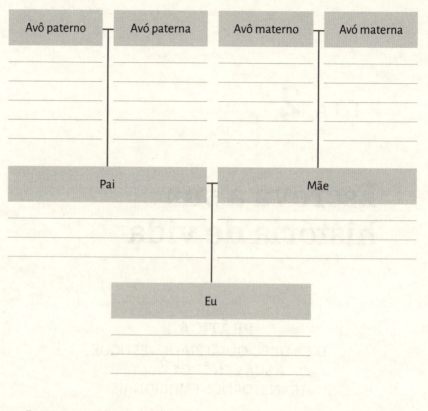

▶ Escreva a seguir nomes de outros parentes próximos (tios, primos etc.) que você sabe que tratam ou já trataram transtornos mentais. Inclua aqueles que você acredita que deveriam procurar tratamento e o nome da doença:

▶ Você já teve algum transtorno mental? Se sim, com que idade e quantas vezes precisou de tratamento ao longo da vida?

Uma das grandes dúvidas dos pacientes que tratam depressão e ansiedade com um psiquiatra é sobre a possibilidade de ser curados de seu quadro psiquiátrico para não precisar de medicamentos. De maneira geral, leva-se em consideração o número de casos na família (quanto mais casos, pior), a idade em que ocorreu o primeiro episódio (quanto mais cedo, pior) e a quantidade de recaídas (quanto maior o número de vezes que manifestou, pior). Essas variáveis determinam se há necessidade de tratamento pelo resto da vida. É muito comum alguns pacientes, sobretudo cristãos, ficarem tristes por precisarem de tratamento pelo resto da vida. Entretanto, no nosso dia a dia, várias doenças tratadas em longo prazo são tranquilamente aceitas. Quadros como hipertensão, diabetes, glaucoma, asma e vários outros podem ter demanda equivalente. Dessa forma, caso seu médico diga que você não pode parar a medicação, siga a orientação sem culpa. Tenha em mente que a genética exerce grande influência nos transtornos mentais e não tem relação com maldição hereditária.

PRÁTICA 2
LEMBRANÇAS DA SUA INFÂNCIA

▶ Um dos primeiros passos para a cura das emoções é saber contar a nossa própria história. Às vezes, os nossos pensamentos divagam e não conseguimos expressar em palavras o que ainda nos machuca. Escrever nos ajuda a expressar a dor e inicia o processo de cura. Começaremos pela infância. Suponhamos que você está escrevendo um livro sobre sua vida. Como você descreveria sua infância?

_____

_____

_____

_____

PRÁTICA 3
MENSAGEM SEM FILTRO PARA OS SEUS PAIS

No capítulo anterior, compreendemos que Deus não usou famílias perfeitas para cumprir seus propósitos. De fato, os nossos pais, intencionalmente ou não, podem ter sido negligentes ou ausentes em várias áreas, acarretando--nos, assim, sofrimento até a atualidade. Ainda que eles sejam cristãos e tenham tido as melhores intenções, é possível que haja angústia ou dor dentro de você. Nos próximos exercícios, você escreverá algo que gostaria de ter dito aos seus pais e nunca teve coragem. Você não precisa mostrar este exercício a eles; apenas escreva o que talvez não tenha coragem de falar pessoalmente.

▶ Pai, eu gostaria de lhe dizer que:

_____

_____

_____

_____

_____

_____

_____

_____

_____

_____

_____

▶ Mãe, eu gostaria de lhe dizer que:

_____

_____

_____

_____

34 PSIQUIATRIA E JESUS

_____

_____

_____

_____

_____

_____

_____

_____

_____

PRÁTICA 4
LIBERE O PERDÃO SOBRE SEU PASSADO

Se quisermos seguir em frente em um caminho de cura emocional, precisamos aprender a perdoar.

▶ Quem você precisa perdoar em sua família? Qual é o motivo de você não ter perdoado essa pessoa? Você já perdoou, mas a lembrança dessa pessoa ainda dói em seu coração?

_____

_____

_____

_____

_____

_____

Perdoar é um mandamento de Jesus. Conceder perdão cura e nos devolve a paz. Diversos estudos científicos[2] mostram os benefícios dessa prática para a saúde mental. Muitas vezes, não avançamos na nossa saúde física e mental por não relevar os erros do outro em relação a nós. É um ato difícil, mas necessário, que não implica esquecer. Você pode perdoar e continuar com uma lembrança dolorida no coração por um longo período. Espiritualmente, a remissão foi realizada, mas emocionalmente pode demandar tempo. Vale enfatizar que eu já presenciei muitas curas emocionais em pessoas que liberaram o perdão.

---

[2]Long, K. N. G. et al. "Forgiveness of others and subsequent health and well being in mid life: a longitudinal study on female nurses", *BMC Psychol.*, 2020.

ESCREVA A SUA HISTÓRIA DE VIDA **35**

Neste exercício, você anotará sua liberação de perdão.

> Pai celestial, eu libero perdão a _____
> porque essa pessoa fez _____,
> o que me causou muita dor (ou dano). Sei que perdoar é um processo,
> mas, em oração, eu o confesso diante de ti. Peço que cure a minha alma
> e não me deixe preso ao passado.

PRÁTICA 5
IDENTIFICANDO LACUNAS EMOCIONAIS PARA ORAÇÃO

Em uma escala de 0 a 10, como você avalia sua história? Marque um X no número que achar melhor (0 seria a ausência total e 10, a presença total de cada variável).

	0	1	2	3	4	5	6	7	8	9	10
Recebi muito carinho e afeto na infância.											
A minha mãe foi muito presente.											
O meu pai foi muito presente.											
A minha autoestima é boa.											
Sinto angústia quando penso no passado.											
Culpo os meus pais pelo que vivo hoje.											
Sempre acho que não fiz o suficiente; por isso, não tenho novas conquistas.											
Tenho ótimas lembranças da minha infância.											
Não tive nenhum trauma no passado.											
Não sofri nenhum abuso no passado.											

PRÁTICA 6
ORANDO SOBRE AS MINHAS LACUNAS EMOCIONAIS

Reuna todas as lacunas emocionais que você identificou na prática 5 e leve-as em oração diante de Jesus.

Exemplo:

Senhor Jesus, eu tive um pai ausente em toda a minha infância. Tenho dificuldades para compreender Deus como Pai porque me vêm à mente minhas tristes lembranças do passado. Sei que que tenho um Pai que está no céu e peço-te que essa verdade entre no meu coração, cure as minhas feridas e não seja apenas uma verdade intelectual. Quero conhecer e experimentar Deus como Pai.

► Escreva ou faça uma oração livre sobre cada lacuna. Não se preocupe com o formato da oração.

_____

_____

_____

_____

_____

_____

_____

_____

_____

_____

_____

_____

_____

_____

_____

PRÁTICA 7
LEITURAS BÍBLICAS SOBRE RESTAURAÇÃO FAMILIAR

► Leia Gênesis 33 e medite sobre a reconciliação de Esaú e Jacó. Deus deseja pacificar as nossas relações familiares antes de nos usar para seus propósitos também. O Senhor é capaz de promover harmonia

ESCREVA A SUA HISTÓRIA DE VIDA **37**

entre pais, filhos e irmãos. Você sente alguma necessidade de reconciliação na sua família?

_____

_____

_____

_____

▶ Leia Gênesis 45 e veja como Deus curou José do trauma familiar (ser vendido pelos irmãos) e pacificou o coração dele quando olhava para o passado. Seu passado traumático pode se tornar uma jornada de bênção divina, assim como aconteceu com José. Anote um tema para o qual você deseja pedir graça ao Senhor de forma que possa superá-lo e seguir em frente.

_____

_____

_____

_____

▶ Leia 2Samuel 12 e veja como o Criador proporcionou um recomeço para Davi e Bate-Seba, mesmo após o pecado. A misericórdia divina permitiu nascer uma nova família após uma tragédia. Nada em sua história impede o Pai de fazer nascer uma nova história. Você acha impossível Jesus reiniciar a história na sua casa? Bate-Seba ganhou um presente de Deus: Salomão.

_____

_____

_____

_____

PRÁTICA 8
ORAÇÃO

Senhor Deus e Eterno Pai, sei que na tua Palavra tu usaste famílias imperfeitas para cumprir teus propósitos. Da mesma forma, vi que há diversas restaurações e reconciliações impossíveis aos homens, mas possíveis diante do Senhor. A ti, apresento a minha família cheia de imperfeições.

38 PSIQUIATRIA E JESUS

Tenho convivido com muitos problemas familiares no presente (descreva-os):

_____
_____
_____.

Sei que o meu histórico familiar é marcado por _____
_____.

Tenho ciência de que teu poder é maior que todos os meus problemas. Peço-te que quebres os ciclos emocionalmente destrutivos sobre a minha casa. Que o Senhor, por meio de teu Espírito, cure os nossos traumas e nos permita viver um tempo novo! Que tudo aquilo na minha genealogia que esteja me impedindo de avançar seja destruído em nome de Jesus! Amém.

DIA 3

Sente-se no divã de Jesus sem medo

Quando o Senhor ficou sabendo disso, saiu da Judeia e voltou uma vez mais à Galileia.

Era-lhe necessário passar por Samaria. Assim, chegou a uma cidade de Samaria, chamada Sicar, perto das terras que Jacó dera a seu filho José. Havia ali o poço de Jacó. Jesus, cansado da viagem, sentou-se à beira do poço. Isto se deu por volta do meio-dia.

Nisso veio uma mulher samaritana tirar água. Disse-lhe Jesus: "Dê-me um pouco de água". (Os seus discípulos tinham ido à cidade comprar comida.)

A mulher samaritana lhe perguntou: "Como o senhor, sendo judeu, pede a mim, uma samaritana, água para beber?" (Pois os judeus não se dão bem com os samaritanos.)

Jesus lhe respondeu: "Se você conhecesse o dom de Deus e quem está pedindo água, você lhe teria pedido e dele receberia água viva".

Disse a mulher: "O senhor não tem com que tirar água, e o poço é fundo. Onde pode conseguir essa água viva? Acaso o senhor é maior do que o nosso pai Jacó, que nos deu o poço, do qual ele mesmo bebeu, bem como seus filhos e seu gado?".

Jesus respondeu: "Quem beber desta água terá sede outra vez, mas quem beber da água que eu lhe der nunca mais terá sede. Ao contrário, a água que eu lhe der se tornará nele uma fonte de água a jorrar para a vida eterna".

A mulher lhe disse: "Senhor, dê-me dessa água, para que eu não tenha mais sede, nem precise voltar aqui para tirar água".

Ele lhe disse: "Vá, chame o seu marido e volte". ·

"Não tenho marido", respondeu ela.

Disse-lhe Jesus: "Você falou corretamente, dizendo que não tem marido. O fato é que você já teve cinco; e o homem com quem agora vive não é seu marido. O que você acabou de dizer é verdade".

Disse a mulher: "Senhor, vejo que é profeta. Nossos antepassados adoraram neste monte, mas vocês, judeus, dizem que Jerusalém é o lugar onde se deve adorar".

Jesus declarou: "Creia em mim, mulher: está próxima a hora em que vocês não adorarão o Pai nem neste monte, nem em Jerusalém. Vocês, samaritanos, adoram o que não conhecem; nós adoramos o que conhecemos, pois a salvação vem dos judeus. No entanto, está chegando a hora, e de fato já chegou, em que os verdadeiros adoradores adorarão o Pai em espírito e em verdade. São estes os adoradores que o Pai procura. Deus é espírito, e é necessário que os seus adoradores o adorem em espírito e em verdade".

Disse a mulher: "Eu sei que o Messias (chamado Cristo) está para vir. Quando ele vier, explicará tudo para nós". Então Jesus declarou: "Eu sou o Messias! Eu, que estou falando com você". (João 4:3-26)

Aprendemos anteriormente que Jesus é capaz de transformar histórias de vida. Foram diversos os casos de pessoas cuja vida foi totalmente alterada por causa de um contato com o Senhor. A mulher samaritana é um dos exemplos bíblicos mais marcantes dessa mudança. A história dela nos ensinará muito sobre o divã do Filho de Deus.

Para alcançar restauração das emoções, é necessário achegar-se ao Mestre sem máscaras ou vestes de religiosidade tóxica que tentem esconder quem de fato você é. Sente-se no divã de Jesus.

Freud sempre pedia a seus pacientes para se aconchegarem em um divã, porque julgava ser uma posição relaxada e confortável. Com o cliente de costas para o analista, é possível eliminar a pressão causada pelo contato visual ou por alguma atitude do terapeuta que impeça o paciente de expressar seus sentimentos de maneira livre e espontânea, sem medos ou preconceitos. O divã é um lugar de confissões no qual nenhum tipo de julgamento moral deve ser feito.

O divã de Jesus, porém, é diferente. Nele, podemos falar face a face sem medo de que a verdade nos destrua em virtude de culpa ou repreensão. O divã do Filho de Deus é um lugar para confissão, arrependimento, salvação e recomeço. Não precisamos ficar de costas para Jesus com medo de censura. Muitas pessoas sentem-se envergonhadas do passado, dos pecados ou de algo que fizeram. Aprendemos com a mulher samaritana que Jesus escuta as nossas histórias para proporcionar nova vida.

> **O divã de Jesus é um lugar de recomeços. Não há espaço para máscaras ou para esconder quem somos.**

No divã do Senhor, é ele quem toma a iniciativa da condução precisa do diálogo terapêutico. Jesus conhece a nossa tendência a estar diante dele com máscaras e a hesitar sobre assuntos realmente importantes. Ele insiste, com compaixão e graça acolhedora, em tocar nas feridas mais profundas da nossa alma. Não quer que vivamos sob o jugo da religiosidade de aparências que nos impede de mostrar quem realmente somos.

Para compreender como Jesus acolhe a todos sem preconceito, precisamos entender a origem do povo samaritano. Quando Salomão morreu (novecentos anos antes da vinda de Cristo), o povo de Israel foi dividido em dois reinados diferentes. Dez tribos se tornaram o que foi chamado de Israel, ou reino do Norte. As duas restantes passaram a ser chamadas Judá, ou reino do Sul. A capital do reino do Norte era Samaria, cidade tomada pelo Império Assírio após a degradação espiritual e moral da nação. Nessa época, o rei da Assíria, Sargão II, povoou a terra com estrangeiros de diferentes etnias e culturas, fazendo que o povo de Israel tivesse casamentos mistos.

Assim, o povo samaritano misturou as práticas religiosas israelitas com a de outros povos e formou um grupo espiritual e etnicamente misto. O judeu tradicional tinha muito preconceito com os samaritanos, porque os considerava pertencentes ao grupo que abandonara a verdadeira fé. Depois do exílio, quando o reino do Sul (Judá) trabalhou pela reconstrução do templo, foi invadido pelo Império Babilônico por causa dos mesmos pecados do reino do Norte e da oposição dos samaritanos (Neemias 4).

Assim, o clima entre judeus e samaritanos era de animosidade. Os judeus evitavam entrar em território samaritano e manter qualquer tipo de relação, até mesmo comercial, com eles. Abstinham-se de qualquer contato com os samaritanos. Por esse motivo, a história de Jesus com a samaritana é dotada de grande beleza.

Primeiro, é importante compreender que Jesus saía da Judeia na direção da Galileia e optou pelo caminho mais difícil: passar por Samaria. Existiam três maneiras de se fazer esse trajeto. Um judeu que apreciasse ser respeitado evitaria passar por Samaria. Além dos problemas relacionais, havia o risco de assaltos ou violência. A Palavra, porém, afirma: "Era-lhe necessário passar por Samaria" (João 4:4).

Jesus foi até uma mulher de um povo rejeitado por todos os judeus considerados sacerdotes ou mestres da Lei de sua época. Ele faz tudo para que nós possamos obter cura para a alma.

O Senhor deseja nos curar, restaurar as nossas emoções e construir uma nova história. Por apenas uma pessoa, ele mudou todo o itinerário. A bondade dele está ao alcance de todos aqueles dispostos a lhe abrir o coração.

> O divã de Jesus não precisa de agenda; é gratuito e não tem pré-requisitos. Está sempre disponível.

O primeiro contato de Jesus com a samaritana foi permeado de amor e compaixão. Sem julgamento moral nem repreensão pelos pecados, tampouco com acusação, o Mestre a fez sentar-se no divã. Sob o pretexto de uma demanda prática do dia a dia, aproximou-se dela. Assim, ao vê-la tirar água do poço, ele lhe pede água. O simples contato jogava por terra todas as barreiras culturais, sociais e espirituais que impediam que aquela mulher pudesse compreender as boas-novas da salvação. Naquele tempo, um rabino ou um mestre não conversava sozinho com nenhuma mulher em público, pois poria em risco a própria reputação. Rabinos radicais recomendavam que as mulheres não deveriam nem mesmo ser saudadas em ambientes coletivos.

Infelizmente, hoje em dia, muitos cristãos não imitam o exemplo de Jesus. Quantas vezes deixamos de nos aproximar de alguém por preconceito? Entretanto, preconceitos de raça, gênero, classe social e cultural são destruídos quando nos dispomos a olhar as pessoas com os olhos de Deus.

O oposto acontece também. Muitas vezes, nós mesmos não nos aproximamos de Cristo por nos julgarmos indignos, pecadores ou cidadãos de segunda classe. A religiosidade distorcida nos leva a cultivar sentimentos de

> Um discípulo de Jesus não pode ser preconceituoso, porque Jesus não foi.

culpa e rejeição, alimentando verdadeira repulsa ao que é espiritual. Somos bombardeados com a ideia de que o Senhor acolhe somente pessoas perfeitas e isentas de pecado. Assim, não compreendemos adequadamente

SENTE-SE NO DIVÃ DE JESUS SEM MEDO 43

a verdadeira mensagem. Infelizmente, muitos não entram em uma igreja porque experimentaram condenação ou desprezo por parte daqueles que deveriam oferecer amor e perdão.

A boa notícia é que há possibilidade de mudança. Se algo em sua vida se tornou em barreira entre você e Deus, saiba que esse obstáculo já foi derrubado. Nada pode impedir seu relacionamento com ele, nem de conceder o perdão e a salvação de que você tanto precisa. O diálogo de Jesus com a samaritana nos aponta o caminho da cura no divã do Mestre. "A mulher samaritana lhe perguntou: 'Como o senhor, sendo judeu, pede a mim, uma samaritana, água para beber?' (Pois os judeus não se dão bem com os samaritanos)" (João 4:9).

O primeiro passo rumo à cura no divã de Jesus é nos desprendermos dos preconceitos existentes em nós. Infelizmente, enquanto muitos sofrem hostilidades de terceiros, outros vivem com barreiras internas que os levam a enxergar Cristo e sua Igreja como distantes ou inacessíveis. A discriminação pode estar enraizada no nosso coração e nos impedir de viver a novidade de Deus. Não é à toa que a personagem fica assustada quando um judeu lhe pede água, porque ela também tinha concepções prévias em relação àquele povo.

Na época em que vivemos, há diversos tipos de preconceitos que devem ser combatidos veementemente. Entretanto, raros são aqueles que enxergam que os próprios olhos também necessitam ser abertos para receber a luz divina. Talvez alguma igreja tenha ferido você ou quem sabe um líder religioso tenha sido o pior exemplo de cristão com o qual você teve o desprazer de conviver. Muitas pessoas, vítimas e adoecidas por uma comunidade abusiva, já não estão mais abertas para se aproximar de Jesus, permitindo-se ser novamente tocadas e curadas pela graça infinita.

▶ Que motivo impede você de se aproximar do Mestre?

_____

_____

Apesar da resistência inicial da samaritana, Jesus prossegue com a sessão de terapia. Ela não conseguia ver além das questões externas e das necessidades fisiológicas. Tinha a mente presa na água natural e no visível. O Senhor, porém, queria curá-la, falando do que é espiritual e emocional, concedendo-lhe nova identidade espiritual. Para a mulher, não havia como alguém oferecer-lhe algo no meio daquela região tão escassa. Entretanto, o desejo dele não era falar do que fosse visível ou superficial; a intenção era profunda, a água espiritual que mataria a sede existencial e espiritual dela para sempre. O encontro com Jesus muda profundamente a personalidade

> **Jesus não quer apenas salvar; ele também deseja curar as suas emoções.**

de quem cruza com ele. Para isso, precisamos levar a Jesus a nossa vida emocional, não apenas as questões materiais ou as necessidades diárias. Fazemos longas orações sobre bens, família etc., mas investimos pouco em momentos terapêuticos com o Mestre.

▶ Qual foi a última vez que você levou, de maneira incisiva, suas queixas emocionais a Jesus?

_____

_____

É muito comum que, no consultório psiquiátrico ou de um psicoterapeuta, os pacientes passem diversas sessões abordando superficialidades ou temas aleatórios antes de chegar às dores mais profundas. Somente depois de estabelecer confiança e empatia, conseguem realmente nomear suas dores e entrar em uma jornada de cura. Jesus insistiu com a samaritana porque sabia que ela tentava inutilmente satisfazer a sede pela vida com algo que nunca seria capaz de saciar o que ela realmente buscava.

Ela, após tantos relacionamentos, continuava sedenta de algo que preenchesse seu vazio interior. Quando não estamos bem emocionalmente, podemos nos render a compulsões, vícios ou tropeçar rotineiramente nas mesmas pedras. O princípio da repetição é uma busca compulsiva externa que visa satis-

> **Algumas compulsões são lacunas emocionais que temos dentro de nós que somente Jesus pode preencher.**

fazer a demandas internas não resolvidas. Muitas compulsões nascem da nossa tentativa de substituir com coisas ou pessoas o que somente Deus pode nos dar. Dinheiro, fama ou até mesmo a família podem tornar-se ídolos que não preenchem a necessidade espiritual que somente o relacionamento com o Criador é capaz de satisfazer.

SENTE-SE NO DIVÃ DE JESUS SEM MEDO **45**

Jesus insiste: "Quem beber desta água terá sede outra vez, mas quem beber da água que eu lhe der nunca mais terá sede. Ao contrário, a água que eu lhe der se tornará nele uma fonte de água a jorrar para a vida eterna" (v. 13,14). A vida dela era como uma cisterna cavada, mas Jesus ofereceu-lhe uma fonte de águas refrescantes que jorrariam de dentro dela sempre. Somente ele poderia prover o que nenhum outro relacionamento seria capaz de oferecer.

Não se pode resolver todas as demandas emocionais sem compreender que muitas delas são, na verdade, espirituais. A espiritualidade restaurada cura emoções. Faltavam algumas coisas para que aquela mulher saísse completamente renovada do divã de Jesus; a vida emocional tinha de ser curada, e ela precisava aprender a viver a verdadeira espiritualidade.

Depois de a samaritana dizer a Jesus que gostaria de beber da água viva, ele lhe pergunta sobre seu marido. De fato, o acolhimento inicial sem julgamentos não é desacompanhado de uma abordagem direta posterior sobre o pecado. Não há restauração plena das emoções sem que a vida seja passada a limpo diante das águas muitas vezes amargas do arrependimento. Na caminhada cristã, muitas vezes nos deitamos apenas parcialmente no divã de Jesus. Queremos a alegria do evangelho que gratuitamente nos conduz ao céu e temos plena convicção do amor incondicional de Cristo, capaz de perdoar todos os nossos pecados. Entretanto, não podemos perder de vista que a nova vida é um convite ao arrependimento e à mudança de rota. Jesus não a repreende com palavras ofensivas ou olhar de exclusão, mas lança luz sobre o que estava oculto. Temos de lidar com o pecado se quisermos ter nossa estrutura emocional transformada.

A cura das emoções em Cristo é sempre profunda. Nós nos contentamos com transformações superficiais, mas ele deseja nos conduzir aos lugares mais escondidos da alma. O Mestre não deseja que sejamos prósperos apenas espiritualmente, mas também emocionalmente. É comum, na caminhada cristã, muitas pessoas acharem que, por terem entregado a vida ao Senhor, não precisam ter a estrutura de personalidade ou as emoções transformadas. Outros pensam que, por serem usados por Deus em múltiplas funções, estão lapidados e não precisam da verdadeira renovação da mente.

> **Se você quer avançar emocionalmente, resolva os seus pecados diante de Jesus.**

Jesus poderia ter cessado o diálogo com a samaritana ao oferecer a água que saciaria a sede dela. Contudo, depois da gratuita e acolhedora oferta inicial, surgiu uma jornada de revelação de segredos. Repito: em nenhum momento, a intenção de Jesus era condenar sem oferecer perdão, cura ou recomeço. Mas era necessário confrontar o pecado e ter a firme convicção de que a vida de outrora deveria ser abandonada. Pecados devem ser confrontados e abandonados. Não há como seguir o Senhor e continuar com o mesmo roteiro de vida. Ele a provoca para que, antes de beber da água da vida, ela tivesse convicção de pecado e passasse por arrependimento. Não há salvação ou mudança de mente sem arrependimento.

No divã de Jesus, o passado vem à superfície, como o presente da personagem, e faz uma fusão divinamente conduzida que a prepara para a nova vida a ser recebida. Ele se aprofunda na análise para passar sua vida emocional a limpo: "chame seu marido". A resposta da samaritana demonstra como nós também agimos diante de Jesus: "Não tenho marido". Essa meia-verdade poderia ser demonstração de culpa, vergonha ou sofrimento. O Mestre, porém, não se contentaria em deixá-la ir sem o tratamento integral de suas emoções ou sem lhe iluminar todo o histórico.

É verdade que ela não tinha marido, mas essa não era a verdade completa. Visava omitir ou não se aprofundar em um assunto que provavelmente a incomodava. Entretanto, Jesus atingiu o ponto fraco. Não sabemos se ela era viúva ou divorciada por cinco vezes, mas o então companheiro não era marido dela, ou seja, tratava-se de uma relação ilícita. No divã de Jesus, é inútil contar meias-verdades. Ele conhece as profundezas do nosso coração. Por mais que tentemos omitir algo que precisa ser curado, somente seremos emocionalmente restaurados quando nos achegarmos a Cristo sem máscaras.

▶ O que você tenta esconder de Deus? Existem coisas do seu passado que você evita levar a ele em oração? Algo que você fez lhe causa vergonha ou culpa a ponto de impedir sua aproximação de Jesus? O que há ainda dentro de você que não foi confessado para gerar arrependimento genuíno e cura verdadeira?

_____

_____

_____

_____

_____

_____

Nos mais de vinte anos de atendimento psiquiátrico e psicoterapêutico, acompanhei um número elevado de casos nos quais as angústias emocionais foram sanadas apenas quando toda a história foi levada a Jesus sem reservas ou medo de condenação. A confissão conduz à cura. Livres da culpa, podemos receber definitivamente a água que jorra para a vida eterna. O que nos impede de reconhecer a nossa vida toda hoje? A mulher samaritana nos ensina.

Quando Jesus toca na ferida da alma, ela muda de assunto. Refugia-se na discussão teológica, haja vista que a conversa talvez mexesse demais com as emoções dela: "Disse a mulher: 'Senhor, vejo que é profeta. Os nossos antepassados adoraram neste monte, mas vocês, judeus, dizem que Jerusalém é o lugar onde se deve adorar'" (João 4.19-20). Que interessante! Depois da provocação de Cristo e do confronto sobre o passado, ela entra em uma discussão teológica e mostra que, de certa forma, para todos nós, é mais fácil gerir uma receita teológica padrão que enfrentar diretamente o peso do pecado. Muitas vezes, usamos a falsa espiritualidade para esconder as nossas emoções.

Nestes anos de consultório, presenciei esse processo muitas vezes nos atendimentos. Alguns pacientes usam a religião para esconder seus problemas e dilemas emocionais. Em geral, essas pessoas tendem a ser muito religiosas ou legalistas e fundamentalistas. Tome cuidado com o excesso de espiritualidade ou moralismo. "Supercrentes" podem esconder grandes mazelas na alma. Nesses casos, a religião torna-se o esconderijo perfeito. Infelizmente, dentro de uma casca religiosa, muitos escondem traumas, angústias, compulsões e até perversões que devem ser tratadas. A religião pode, nos extremos, ser um mecanismo de fuga para não enfrentarmos males emocionais. No discurso teológico, bastam alguns chavões para ser facilmente aceito, mas o Senhor vê o coração e sabe que existem necessidades que devem ser tratadas.

> **Não esconda as suas emoções na religiosidade. Jesus sabe quem você realmente é.**

Nunca deixe que a religião seja um álibi para fugir do verdadeiro encontro com Jesus. Decorar versículos, pregar, ensinar na igreja ou até mesmo ser um líder religioso não significam que o coração não deva ser curado pela confissão diante de Jesus. É impossível fugir dele. Mesmo que tentemos mudar o curso da conversa no divã, ele sempre nos levará ao caminho da verdadeira fé. Basta persistir no diálogo, em vez de fugir envergonhados quando a verdadeira natureza se manifestar.

Diante da dúvida da samaritana sobre o local da adoração, Jesus revela preciosidades que definitivamente mudariam a vida dela para sempre. O enredo iniciado nas necessidades biológicas (a água natural) passou pelas emocionais (diversos casamentos incapazes de preencher a sede emocional) e terminou a sessão com a verdadeira espiritualidade (a adoração em espírito e em verdade). Não é necessário se esconder em lugares sagrados nem ser refém de um sistema religioso. A adoração verdadeira é simplesmente uma vida integralmente rendida a Cristo e conduzida pelo Espírito sem máscaras.

Apesar de eu não falar sobre a beleza teológica da revelação de Jesus à samaritana, por não ser o foco deste livro, é magnífico observar que o encontro genuíno com o Senhor transformou aquela mulher em uma das primeiras missionárias da história. Com o coração redimido, as emoções confessadas e o passado emocional totalmente perdoado, ela corre para falar do amor que a tinha alcançado de maneira tão contundente. Com Cristo, é assim: não importa o histórico, ele transforma passados conturbados ou permeados de pecados em novos roteiros de vida para a glória dele. Sempre há a possibilidade de uma nova vida. Não há como deter o testemunho de alguém que realmente foi tocado pelo Messias.

REFLEXÃO

Sente-se no divã de Jesus sem medo.

VERSÍCULO PARA MEDITAR

Todo aquele que o Pai me der virá a mim, e quem vier a mim eu jamais rejeitarei. (João 6:37)

DIA 4

O que você esconde

PRÁTICA 1
SENTE-SE NO DIVÃ DE JESUS

Jesus está no céu, disponível para nos ouvir. Muitas vezes, nós o achamos distante, mas cada oração que fazemos é uma oportunidade de estar no divã do Filho de Deus. O autor de Hebreus nos mostra esta grande verdade:

> Agora, que já sabemos o que temos — Jesus, esse grande Sacerdote Principal com acesso imediato a Deus —, não podemos perdê-lo jamais. Não temos um sacerdote que não conhece a nossa realidade. Ele experimentou fraqueza e provações e experimentou tudo, menos o pecado. Portanto, vamos andar direito e receber o que ele tem para nos dar. Recebam a misericórdia, aceitem a ajuda. (Hebreus 4:14-16, *A Mensagem*)

Jesus conhece a sua realidade e os seus problemas. Faça hoje uma sessão de terapia com ele.

▶ Imagine que Jesus é o seu terapeuta, e você tem uma sessão agendada para hoje. É uma oportunidade única para falar com o Senhor sobre o que está no seu coração sem nenhum tipo de medo, resistência ou receio de sofrer preconceito. Enumere cinco assuntos que você levaria até ele nessa sessão de terapia.

1. _____

2. _____

| **50** PSIQUIATRIA E JESUS

3. _____

4. _____

5. _____

PRÁTICA 2
ORE SOBRE O ASSUNTO DE SUA TERAPIA

Uma vez que você anotou os cinco pontos que levaria ao Mestre em uma sessão de terapia hoje, faça uma oração específica sobre cada ponto. Saiba que esse não é apenas um exercício. Ao orar, você está realmente no divã de Cristo. Veja o que ele nos disse sobre a oração:

> Peçam, e será dado; busquem, e encontrarão; batam, e a porta será aberta. Pois todo o que pede recebe; o que busca encontra; e àquele que bate, a porta será aberta. Qual de vocês, se seu filho pedir pão, lhe dará uma pedra? Ou, se pedir peixe, lhe dará uma cobra? Se vocês, apesar de serem maus, sabem dar boas coisas aos seus filhos, quanto mais o Pai de vocês, que está nos céus, dará coisas boas aos que lhe pedirem! (Mateus 7:7-11).

Se um pai ou uma mãe fosse capaz de negar alimento a um filho, o nosso Deus jamais o faria. Além disso, se um terapeuta humano atende você com atenção e sem julgamentos, você tem no Senhor um terapeuta disposto a ouvi-lo sem filtros.

► Escreva cinco orações se assim desejar, lembrando-se de que a escrita é terapêutica. Você também pode simplesmente falar em um momento a sós com o Pai. Pegue papel e anote os cinco tópicos da sua sessão de terapia com o Salvador e cole em um lugar visível de sua casa, para que você possa orar sobre essas necessidades durante sete dias.

Oração 1:

_____

_____

_____

_____

_____

_____

O QUE VOCÊ ESCONDE **51**

Oração 2:

_____

_____

_____

_____

_____

_____

Oração 3:

_____

_____

_____

_____

_____

_____

Oração 4:

_____

_____

_____

_____

_____

_____

Oração 5:

_____

_____

_____

_____

_____

_____

PRÁTICA 3
CONFISSÃO DE PECADOS

Nos dias atuais, sei que falar sobre pecados pode ser desgastante para muitas pessoas. Vivemos em uma época em que gostamos de saber apenas
sobre o amor de Jesus e sobre a aceitação dele sem nenhum pré-requisito.
De fato, isso é verdade. Ainda assim, ele quer nos confrontar em relação aos

nossos pecados. Você não será recebido com uma pedra na mão, mas por um coração disposto a perdoar. Não há nada em seu passado que Cristo não perdoe. Se você não tiver convicção de que foi perdoado pelo Senhor muitas vezes, não terá a cura emocional de que tanto precisa.

Lembro-me de uma paciente que sofria de depressão grave e era resistente a vários medicamentos. Certa vez, na terceira consulta, ela me disse que tinha feito um aborto, depois de já ter conhecido o Mestre, e que não conseguia se perdoar pelo ato. Quando via bebês na rua, a lembrança trazia tanto sofrimento emocional que isso lhe causava crises de ansiedade. Naquele dia, eu a orientei a orar para que o Salvador lhe mostrasse, de alguma forma, que ela já estava perdoada. A confiança é muito importante. Com frequência, temos apenas uma convicção intelectual do perdão, mas experimentá-lo emocionalmente é bastante necessário para a cura das nossas emoções. Dias depois, aquela paciente teve um sonho no qual uma criança lhe dizia: "Pare de se culpar, porque Deus já perdoou você". Não vou entrar em qualquer mérito a respeito do sonho. A partir daquele dia, ela se sentiu perdoada por Jesus, e sua depressão melhorou consideravelmente em um único dia.

Vimos que a mulher samaritana tentou dizer apenas parte da verdade a Jesus. Contudo, no divã do Mestre, não há como se esconder.

► Em relação a quais áreas ou circunstâncias você precisa de perdão? O que o aprisiona?

_____

_____

_____

_____

_____

_____

_____

_____

PRÁTICA 4
LEITURA BÍBLICA: NÃO OLHE PARA TRÁS

Os mestres da lei e os fariseus trouxeram-lhe uma mulher surpreendida em adultério. Fizeram-na ficar em pé diante de todos e disseram a Jesus:

"Mestre, esta mulher foi surpreendida em ato de adultério. Na Lei, Moisés nos ordena apedrejar tais mulheres. E o senhor, que diz?". Eles estavam usando essa pergunta como armadilha, a fim de terem uma base para acusá-lo.

Mas Jesus inclinou-se e começou a escrever no chão com o dedo. Visto que continuavam a interrogá-lo, ele se levantou e lhes disse: "Se algum de vocês estiver sem pecado, seja o primeiro a atirar pedra nela". Inclinou-se novamente e continuou escrevendo no chão.

Os que o ouviram foram saindo, um de cada vez, começando pelos mais velhos. Jesus ficou só, com a mulher em pé diante dele. Então Jesus pôs-se em pé e perguntou-lhe: "Mulher, onde estão eles? Ninguém a condenou?".

"Ninguém, Senhor", disse ela.

Declarou Jesus: "Eu também não a condeno. Agora vá e abandone sua vida de pecado" (João 8:3-11).

▶ Alguma vez alguém quis atirar uma pedra em você pelos seus pecados? Você já foi julgado indigno de ir à igreja ou de se aproximar de Jesus por algo que você possa ter feito?

_____

_____

_____

_____

▶ Se o Senhor ordena seguir em frente, uma vez que os seus pecados estão perdoados, por que você ainda está preso a algo do passado?

_____

_____

_____

_____

PRÁTICA 5
NÃO SE ESCONDA ATRÁS DA RELIGIÃO

No capítulo anterior, lemos que a samaritana, quando Cristo iniciou a jornada de cura em relação ao passado, mudou de assunto e falou sobre religião. A espiritualidade pode ser muito terapêutica, mas também pode nos impedir de ser curados.

Na minha prática clínica, vejo que muitas pessoas têm um discurso extremamente religioso, mas vivem de forma distinta, dependendo de estarem dentro ou fora da igreja. A espiritualidade, nesses casos, é apenas uma camada externa de falsa proteção para evitar que outros saibam quem realmente são.

Como saber se estamos vivendo uma espiritualidade que nos impede de ser curados emocionalmente?

DEZ CARACTERÍSTICAS DE UMA ESPIRITUALIDADE NÃO EMOCIONALMENTE SAUDÁVEL

1. Uma espiritualidade não emocionalmente saudável tenta convencer você de que tudo é espiritual.

2. Uma espiritualidade não emocionalmente saudável tenta levar você a ter uma vida fora da igreja e outra dentro dela. Leva você a viver personagens que devem adaptar-se aos diferentes ambientes.

3. Uma espiritualidade não emocionalmente saudável impede você de expressar suas emoções. Proíbe brincadeiras e piadas, e mostra uma visão de Deus sempre opressiva e carrancuda.

4. Uma espiritualidade não emocionalmente saudável diz que você não deve ter tempo para lazer, hobbies ou esportes, porque tudo isso é comum em pessoas que "não amam a Deus".

5. Uma espiritualidade não emocionalmente saudável impede você de ter tempo com os amigos. Muitas vezes, a agenda da igreja prejudica suas relações familiares.

6. Em uma espiritualidade não emocionalmente saudável, você tem medo de ser julgado pela igreja; logo, não há liberdade para confessar suas dores e seus pecados à comunidade.

7. Em uma espiritualidade não emocionalmente saudável, os líderes dizem que você precisa sempre da "cobertura espiritual" deles para se aproximar de Jesus. Você se torna codependente de pessoas e sofre abusos espirituais diversos.

8. Uma espiritualidade não emocionalmente saudável ensina um conjunto de regras do tipo "pode" ou "não pode", mas não ensina a ser um verdadeiro discípulo de Jesus por meio de disciplinas espirituais de longo prazo.

9. Uma espiritualidade não emocionalmente saudável tenta impor várias metas parecidas com as existentes nos ambientes seculares.

Você é levado a viver uma fé de resultados que o afasta da simplicidade do evangelho.

10. Uma espiritualidade não emocionalmente saudável afasta as pessoas de você. Você é considerado um cristão chato e desagradável.

PRÁTICA 6
ORAÇÃO

Senhor Jesus, reconheço que muitas vezes tenho inutilmente escondido de ti o meu histórico de vida. Também tenho evitado levar certos assuntos em oração com receio de ser julgado ou condenado. Como aconteceu à mulher samaritana, sei que posso recomeçar, ter uma nova vida e uma nova história. Peço-te que retires do meu coração toda religiosidade que me impede de te adorar em espírito e em verdade. Guia-me pelo teu Espírito Santo, curando as feridas da minha alma, trazendo à luz pecados ou conflitos que nem a minha mente é capaz de reconhecer. Sonda-me e conhece o meu coração. Entrego a ti as minhas inquietações. Vê se há algo em mim que te ofende e me conduz a um caminho reto, justo e repleto de paz. Permite-me ser alguém que compartilhe do teu amor com outras pessoas. Amém.

PRÁTICA 7
MEDITAÇÃO

Medite nos textos bíblicos a seguir. Anote o que Deus fala ao seu coração.

Sei que desejas a verdade no íntimo; e no coração me ensinas a sabedoria. Purifica-me com hissopo, e ficarei puro; lava-me, e mais branco do que a neve serei. (Salmos 51:6,7)

Não seja excessivamente justo nem demasiadamente sábio; por que destruir a você mesmo? (Eclesiastes 7:16)

DIA 5

Nomeie as suas dores diante de Jesus

Então chegaram a Jericó. Quando Jesus e seus discípulos, juntamente com uma grande multidão, estavam saindo da cidade, o filho de Timeu, Bartimeu, que era cego, estava sentado à beira do caminho pedindo esmolas. Quando ouviu que era Jesus de Nazaré, começou a gritar: "Jesus, Filho de Davi, tem misericórdia de mim!".

Muitos o repreendiam para que ficasse quieto, mas ele gritava ainda mais: "Filho de Davi, tem misericórdia de mim!".

Jesus parou e disse: "Chamem-no".

E chamaram o cego: "Ânimo! Levante-se! Ele o está chamando". Lançando sua capa para o lado, de um salto, pôs-se de pé e dirigiu-se a Jesus.

"O que você quer que eu faça?", perguntou-lhe Jesus. O cego respondeu: "Mestre, eu quero ver!".

"Vá", disse Jesus, "a sua fé o curou". Imediatamente ele recuperou a visão e seguia a Jesus pelo caminho. (Marcos 10:46-52)

De todas as enfermidades que Jesus curou, a cegueira talvez seja a que nos deixou os maiores ensinamentos. Talvez seja apenas a impressão de um psiquiatra que já atendeu a uma enorme quantidade de casos de cegueira no consultório. Ser cego é ter uma percepção diferente da vida e hoje a ciência mostra que todo o funcionamento cerebral (logo, inclui o emocional) é modificado em um estado de cegueira. O que podemos aprender com a cura do cego Bartimeu?

Há várias riquezas nessa passagem, mas, sem dúvida, a que sempre me intrigou mais foi a pergunta de Jesus: "O que você quer que eu faça?". Obviamente, Jesus sabia da necessidade, das angústias e da tristeza que a cegueira ocasionava naquele homem. O Mestre sabia das grandes limitações e dos sofrimentos que Bartimeu havia carregado ao longo de toda a vida: a cegueira lhe havia roubado a dignidade e a identidade.

► O que tem roubado sua identidade ou dignidade atualmente? O que tem roubado sua paz?

_____

_____

_____

_____

_____

Para compreender melhor a pergunta de Jesus, é preciso conhecer Bartimeu. Em primeiro lugar, ele não tinha nome. Bartimeu significava apenas "filho de Timeu". Naquela época, esse fato demonstrava que Bartimeu vivia em completa exclusão social, econômica e educacional. Bartimeu não apenas era cego; ele também não era visto pelos demais. O fato de se sentir sem valor, somado aos demais fatores, corroía ainda mais sua identidade, que já era comprometida seriamente pela cegueira. A autoestima, os sonhos, os projetos de vida e a identidade lhe haviam sido totalmente roubados pela condição biológica, o que o levou a viver em um dos estados mais tristes de toda a existência humana: na miséria e mendicância.

A exclusão gera profundas marcas na alma. Atualmente, sabemos que traumas, abusos ou negligências geram verdadeiras cicatrizes nos neurônios e podem nos acompanhar pelo resto da vida. De modo geral, o nosso cérebro é um grande arquivo, e todas as experiências traumáticas são registradas em complexas redes neurais que moldam profundamente as nossas emoções, a nossa maneira de nos relacionar com os outros e a nossa percepção da realidade.

► Você já passou por algo traumático? Alguma experiência o marcou tanto que, até hoje, você não consegue se desvincular do que aconteceu?

58 PSIQUIATRIA E JESUS

_____

_____

_____

_____

Nada afeta mais a identidade e gera tanta exclusão quanto as doenças psiquiátricas. Há uma grande gama de patologias que roubam profundamente a identidade e a qualidade de vida. Nada é mais epidêmico que ansiedade, depressão e outros transtornos mentais.

▶ A depressão ou a ansiedade já fizeram você ter um sentimento de exclusão? Você já foi qualificado como alguém distante de Jesus por estar doente emocionalmente?

_____

_____

_____

_____

_____

Saiba que é muito mais comum do que a maioria das pessoas imagina.

▶ Você já foi acusado de estar em pecado ou de não orar o suficiente por viver uma fase emocionalmente ruim?

_____

_____

_____

_____

_____

Posteriormente, neste livro, falarei sobre depressão e ansiedade. Por enquanto, apresentarei a importância de nomear as nossas dores diante de Jesus. Para isso, precisamos entender o estado do cego Bartimeu.

Naquela época, Jericó era um dos importantes locais de passagem, abastecimento e descanso para as pessoas que se dirigiam a Jerusalém. Exatamente no momento do encontro do Senhor com o cego, uma multidão fazia aquele trajeto para celebrar a Páscoa. Cristo já estava a caminho de viver a crucificação. Aquela seria a última vez que ele passaria por ali. Era realmente a última oportunidade daquele homem. É bom lembrar que na maioria das vezes as oportunidades passam e nada parecido volta a suceder. A diferença entre o período bíblico e o atual é que agora o Salvador pode nos tocar e está acessível todos os dias. Bartimeu, por sua vez, estava diante de uma oportunidade única e insistiu: "Jesus ,filho de Davi, tem misericórdia de mim". Ele tinha fé e consciência de que era o momento de mudar para sempre sua história.

O que podemos aprender sobre Jesus e seus processos terapêuticos nessa passagem? Em primeiro lugar, como aventei anteriormente, é intrigante observar que o Senhor pergunta o que aquele homem gostaria de receber. Como bem sabemos, Jesus era homem e Deus e, por isso, sabia antecipadamente qual era a necessidade de Bartimeu. Todos ali compreendiam que a cegueira era o grande problema, mas o Mestre fez questão de que o homem nomeasse a própria dor. Há muitas pessoas com dores na alma ou no corpo que nunca as nomearam diante do Salvador. Muitos vão até ele em oração, mas, por receio, culpa ou até mesmo incredulidade, nunca foram capazes de fazer uma oração honesta na qual deem nome às suas dores ou angústias mais profundas. Orar, antes de qualquer protocolo, é um ato de confissão e denominação de dores.

Freud, certa vez, disse: "Nenhum ser humano é capaz de esconder um segredo. Se a boca se cala, falam as pontas dos dedos". Essa afirmação é completamente verdadeira. Muitas doenças ou transtornos mentais consistem em palavras não ditas, dores não expressas, falta de perdão e traumas escondidos. Por vergonha ou medo, alguns têm dificuldade de mostrar como realmente se sentem: fracos, inseguros, limitados e, por vezes, inconstantes. As neurociências colaboram com esse pensamento ao afirmar que diversas doenças psicossomáticas, autoimunes, bem como a depressão e a ansiedade, são desenvolvidas em pacientes que guardam suas angústias sem elaborá-las verbalmente. Quando reprimimos sentimentos, eles se manifestam em forma de sintomas pelo corpo.

Exprimir as suas dores leva à cura.

Nos Evangelhos, Cristo constantemente provocava o que chamo "nomeação da dor". Falar e expressar verbalmente é denominar a dor sem medo, confiante da compaixão do Mestre; sem receio de julgamentos ou repreensões. Ele conhece as nossas necessidades, mas nos convida a nomear as nossas dores a ele. É preciso entrar no quarto secreto e se despir de toda religiosidade, expor com o coração aberto (e muitas vezes irado) e sem filtros o que realmente se passa no coração. A confissão gera cura, liberta e rompe mecanismos neurais de trauma. Quando a confissão é feita diante de Deus, encontramos uma fonte infinita de ternura, amor e compaixão.

Falar é terapêutico. Atualmente, vários estudos demonstram que a psicoterapia (falar com um interlocutor preparado), por exemplo, gera mudanças estruturais no nosso cérebro.[1] Verbalizar modifica os nossos neurônios e a nossa mente. Quando elaboramos as dores que sentimos em linguagem verbal, o nosso cérebro reorganiza os neurônios, modifica o nosso funcionamento emocional e pode chegar a superar ou até mesmo a suprimir memórias de traumas. Quando damos nome às nossas dores diante do Mestre, algo extraordinário acontece: não somos curados apenas porque exteriorizamos os sentimentos, mas porque no interlocutor residem todos os tesouros da sabedoria e da ciência para sermos curados.

▶ O que você tem escondido? O que você constantemente reprime e faz "falar as pontas dos dedos"? Será que muitas das suas dores físicas e emocionais não são, na verdade, processos emocionais que você resiste em pôr para fora?

_____

_____

_____

_____

Em muitos casos clínicos do consultório, recebo pacientes que passaram por variados procedimentos médicos e exames diagnósticos incapazes de explicar seus sintomas. Ao fazer uma entrevista mais detalhada, vejo que as doenças psicossomáticas, na maioria dos casos, têm origem em traumas ou angústias emocionais retidas. Após algumas sessões, é incrível ver o poder terapêutico quando os sentimentos são verbalizados sem restrições. Veja o que as Escrituras dizem: "Portanto, confessem os seus pecados uns

---

[1] Malhotra, S.; Sahoo, S. "Rebuilding the brain with psychotherapy", *Indian J. Psychiatry*, out.-dez. 2017, n. 59 (4), p. 411-19.

aos outros e orem uns pelos outros para serem curados. A oração de um justo é poderosa e eficaz" (Tiago 5:16).

Para a obtenção da cura, a confissão anda junto com a oração. Nomear a dor, confessar um pecado ou simplesmente expressar verbalmente algo que traz angústia são os maiores catalisadores de cura que temos hoje. A fé cruza o caminho da nomeação da dor diante do Salvador. Ele quer que você fale, mesmo já sabendo o que se passa no seu coração. Por saber que não basta apenas curar a dor biológica, ele quer nos tocar profundamente, para que a aflição não permaneça aterrorizando a nossa alma, as nossas emoções e a nossa identidade.

Quando nomeamos a cura, mesmo antes de qualquer medicamento fazer efeito, melhoramos o que sentimos por dias, meses ou até anos. Muitos anos atrás, atendi uma paciente que dizia ser incapaz de enxergar praticamente tudo. Levada pela família a muitos oftalmologistas, todos os exames atestavam normalidade, e nada justificava o problema de visão. Uma vez que não tinha nenhum problema físico nos olhos, a paciente foi finalmente encaminhada para cuidados psiquiátricos. Ela realmente andava como cega: caminhava apoiando-se em sua acompanhante com enorme insegurança ao se movimentar dentro do consultório. Se algo abrupto acontecia, no entanto, quase por reflexo, as mãos dela se moviam em direção ao objeto para que ele não atingisse o chão, por exemplo.

A família a tratava como muito desprezo, porque julgava que ela mentia ou usava a "doença" para conseguir um ganho secundário. Na realidade, a paciente somatizava nos olhos palavras e angústias retidas. Sua vida era marcada por uma variedade de traumas, e ela vivera um estresse muito intenso. A cegueira era emocional, não o resultado de um funcionamento inadequado dos olhos. Quantas pessoas, em diferentes graus, convivem com a cegueira emocional crônica! Essa paciente, após alguns meses de terapia e medicamentos, "recuperou" a visão e voltou a andar sem a necessidade de acompanhante.

Também me lembro de outra paciente que sofrera abuso sexual na infância e que nunca havia comentado o ocorrido com ninguém. Ela lutava contra diversas dores no corpo e sofria do quadro clínico a que chamamos fibromialgia. Trata-se de uma doença incapacitante, porque o paciente sente dores em vários pontos do corpo sem que exames apontem uma lesão ou causa específica. Quando a paciente foi estimulada a expressar verbalmente suas dores e a falar sobre o abuso com um profissional especializado, melhorou consideravelmente. Além disso, passou a orar para que o trauma do abuso deixasse de atormentar sua mente, e essa jornada terapêutica foi muito profunda.

Obviamente, a cegueira de Bartimeu não era psicossomática. O texto bíblico revela a dimensão do sofrimento que ele carregava como consequência da cegueira total que o incapacitava em grande medida. Contudo, veja que interessante: mesmo diante de algo tão evidente, Jesus o provocou para que desse nome à dor que sentia. Se, em males tão claros e objetivos, Jesus fez essa provocação, não seria necessário que nomeássemos diante dele as dores da alma que nos afligem constantemente, certos de que receberemos compaixão e atenção? Como fazê-lo? Quais caminhos devemos trilhar? Buscaremos no texto bíblico o roteiro.

Apesar de Bartimeu nunca ter visto nenhuma cura de Jesus até então, ele ouvia rumores e testemunhos de que, naquele tempo, um novo profeta se levantara em Israel. Assim, com a audição, ele creu que seria possível ser transformado por um encontro com Cristo. O clamor "Jesus, Filho de Davi, tem compaixão de mim" era uma confissão carregada de honestidade, transparência e dor, mas também da certeza de que ele estava diante de alguém repleto de amor, compaixão e poder para curar.

Será que vemos o Senhor dessa maneira? Nós nos achegamos a ele sabendo que é cheio de compaixão e misericórdia para nos curar e libertar dos nossos problemas? Muitas pessoas se relacionam com o Senhor como se ele fosse insensível, distante ou alheio aos sofrimentos da alma. Definitivamente, o Mestre não é assim, mas é cheio de poder, misericórdia e amor para nos ouvir, aconselhar e tocar.

Por fim, devemos entender em Bartimeu algo que deve nos impulsionar a ser perseverantes em oração. Quando procurou pelo Senhor, muitos tentaram impedi-lo. Ele foi repreendido por pessoas que poderiam ajudá-lo. Às vezes, quando tentarmos dar nomes às nossas dores diante de Cristo, seremos repreendidos ou julgados. Muitos tentarão nos calar e dirão: "Você é fraco", "Isso é frescura", "Você deveria ter fé e agir mais", "Esse problema é pequeno perto do meu" ou até mesmo "Não jogue para Deus os seus problemas". Infelizmente, vivemos em um tempo no qual nos dizem que o Pai tem problemas

> Você deve mudar sua visão acerca de Jesus. Ele é Deus, mas é uma pessoa que anseia conversar abertamente sobre as dores que afligem você, de modo que elas se tornem uma ponte de psicoterapia entre o céu e a terra.

maiores que os nossos para resolver e acabamos desistindo de entrar em um relacionamento psicoterapêutico com Jesus como deveríamos.

Por incrível que pareça, muitas vezes serão as pessoas próximas que tentarão nos inibir de expressar os nossos sentimentos e nos impedirão de viver uma fé transparente e saudável.

Entretanto, Bartimeu insistiu, perseverou, gritou alto, pôs para fora a dor e expressou em palavras todo o gemido de uma alma aflita física e emocionalmente por tantos anos. Em certo momento da minha vida, eu sentia uma profunda dor emocional. Simone, a minha esposa, tinha sofrido três abortos espontâneos. Aquele processo de não conseguirmos ter filhos me trouxe um sofrimento psicológico significativo e me fez ficar triste por um longo período.

Lembro-me de que, na quarta gravidez, fomos fazer um ultrassom de rotina e ficamos sabendo que o nosso bebê apresentava grandes chances de ter uma síndrome genética. Não me esqueço do dia em que fui ao monte orar e contei a Deus a minha dor: "Senhor, já tivemos muitos sofrimentos; eu honestamente não queria ter uma criança com síndrome". Expressei a minha dor. Pus para fora os meus sentimentos. Acheguei-me a Jesus sem medo de ser repreendido pelo que sentia. Quando chegou o parto, recebemos a confirmação de que Tiago (o nosso filho mais velho) tem Síndrome de Down. Hoje, a presença dele é fonte de grande amor e conhecimento divino no nosso lar.

Precisamos ser honestos com as nossas dores. Não devemos ter medo de expressá-las com todas as letras diante do Criador, mesmo que tenham pouco sentido ou não pareçam fazer sentido algum. Ele não se importa com o método nem com palavras bonitas durante a confissão; apenas com a honestidade do coração.

Para quem estava perto, a dor de Bartimeu parecia um incômodo para Jesus; por isso, tentaram afastá-lo. Foram incapazes de compreender a magnitude daquele sofrimento. Essa atitude não é frequente? Quando estamos enfermos, há quem nos inunde de repreensões ou respostas prontas porque não consegue assumir o nosso lugar e dimensionar nossa angústia e o nosso sofrimento. Até mesmo amigos ou parentes próximos podem ser incapazes de exercer compaixão e nos levar para mais perto do Mestre. Sozinhos, isolados na dor, sentimos angústia e agravamos ainda mais o nosso estado emocional.

Bartimeu rompeu essa barreira e insistiu. Transformou a tentativa de ser silenciado em uma força capaz de gritar cada vez mais alto:

"Tenha compaixão de mim". Ao ver tamanha fé, Jesus o curou e fez dele um exemplo de perseverança, cujo testemunho de vida é impactante até hoje. A cura foi buscada no limite da capacidade física e emocional. Como era cego, usou a voz como megafone diante do Filho para ser curado. Podemos ter limitações em várias áreas da vida, mas encontraremos uma maneira de nos aproximar de Jesus para receber a cura.

Dessa forma, insista em expressar suas dores. Nomeia-as constantemente diante do Senhor. Não deixe que pessoas próximas, "religiosos", nem mesmo protocolos espirituais, impeçam você de se achegar a ele sem filtros por medo de ser julgado. O Mestre aguarda o nome da sua dor. Diante dele, você pode ter certeza de que receberá imensa compaixão.

As doenças podem ser dores retidas. Angústias não confessadas e palavras não ditas podem ser verbalizadas. Expresse seus sentimentos a um amigo disposto a ouvir, mas, sobretudo, faça-o diante de Jesus.

REFLEXÃO

Toda cura começa com a confissão do que sentimos.

VERSÍCULO PARA MEDITAR

Eis que estou à porta e bato. Se alguém ouvir a minha voz e abrir a porta, entrarei e cearei com ele, e ele comigo. (Apocalipse 3:20)

DIA **6**

Identificando os nossos pontos de dor

PRÁTICA 1
QUAL É A SUA DOR HOJE?

▶ No capítulo anterior, aprendemos como é importante nomear as nossas dores para sermos curados. Hoje você será desafiado a escrever uma carta na qual expresse em palavras as suas dores a Jesus. Imagine que você está diante dele, e que ele lhe pergunta: "O que você quer que eu faça?". Escreva uma carta a Jesus sem nenhum tipo de filtro. Nomeie a sua dor.

PRÁTICA 2
ORAÇÃO DE NOMEAÇÃO DAS DORES

Separe dez minutos do dia e ore de maneira específica por suas dores. Se possível, tenha a carta em mãos e a leia em voz alta nesse período.

PRÁTICA 3
ORANDO A PALAVRA

Leia e ore pausadamente o salmo 86.

Inclina os teus ouvidos, ó Senhor, e responde-me, pois sou pobre e necessitado.

Guarda a minha vida, pois sou fiel a ti. Tu és o meu Deus; salva o teu servo que em ti confia!

Misericórdia, Senhor, pois clamo a ti sem cessar.

Alegra o coração do teu servo, pois a ti, Senhor, elevo a minha alma.

Tu és bondoso e perdoador, Senhor, rico em graça para com todos os que te invocam.

Escuta a minha oração, Senhor; atenta para a minha súplica! No dia da minha angústia clamarei a ti, pois tu me responderás.

Nenhum dos deuses é comparável a ti, Senhor, nenhum deles pode fazer o que tu fazes. Todas as nações que tu formaste virão e te adorarão, Senhor, e glorificarão o teu nome. Pois tu és grande e realizas feitos maravilhosos; só tu és Deus!

Ensina-me o teu caminho, Senhor, para que eu ande na tua verdade; dá-me um coração inteiramente fiel, para que eu tema o teu nome. De todo o meu coração te louvarei, Senhor, meu Deus; glorificarei o teu nome para sempre.

Pois grande é o teu amor para comigo; tu me livraste das profundezas do Sheol. Os arrogantes estão me atacando, ó Deus; um bando de homens cruéis, gente que não faz caso de ti procura tirar-me a vida. Mas tu, Senhor, és Deus compassivo e misericordioso, muito paciente, rico em amor e em fidelidade. Volta-te para mim! Tem misericórdia de mim! Concede a tua força a teu servo e salva o filho da tua serva. Dá-me um sinal da tua bondade, para que os meus inimigos vejam e sejam humilhados, pois tu, SENHOR, me ajudaste e me consolaste.

PRÁTICA 4
NOMEIE A SUA DOR A ALGUÉM PRÓXIMO

Em todos estes anos de consultório, tenho visto que as pessoas que confessam suas dores a alguém que é capaz de aconselhá-las e ouvi-las sem julgamentos percorrem um caminho mais satisfatório para a cura.

Se você guarda algo no coração a respeito do qual nunca compartilhou com ninguém, e essa memória dolorosa constantemente afeta as suas emoções, eu o desafio a ter um momento de confissão com alguém da sua confiança. Caso você não conheça ninguém que possa desempenhar esse papel terapêutico, ore a Deus para que ele indique essa pessoa ao seu coração.

PRÁTICA 5
ORAÇÃO DE NOMEAÇÃO DA DOR

Senhor Jesus, certo de tua compaixão e misericórdia, eu me aproximo de ti. Sei que, muitas vezes, por medo, insegurança ou por achar que não tinha fé suficiente, evitei dizer o que realmente havia no meu coração. Também compreendo que muitas pessoas dizem que eu não sou digno de ser curado. Como Bartimeu, porém, eu me aproximo. Esta dor (nomeie): _____ constantemente tem me angustiado. Sinto que essa angústia tem me aprisionado e não consigo me libertar com as minhas próprias forças. Ninguém consegue compreender o que realmente se passa no meu coração. Hoje, diante da tua presença, confesso minha raiva, minha revolta e até os meus dilemas espirituais por orações não respondidas no passado. Confesso que muitas vezes fiquei decepcionado porque não me senti ouvido por ti. As perdas que tive e tantas situações de sofrimento têm me roubado a fé, a esperança, o amor pelos irmãos e até mesmo por ti. Hoje me aproximo sem máscaras. Peço que me cures. Ao nomear a minha dor, sei que tu, Senhor, és cheio de compaixão, não um deus indiferente. Que o teu amor me envolva e que as minhas emoções sejam curadas! Que o teu olhar afetuoso e cheio de misericórdia possa invadir o mais profundo do meu ser! Perdoa-me me pelos dias em que achei que tu tinhas me abandonado. Pela fé, ao denominar a minha dor, sei que tu me colocarás no caminho terapêutico do seu divã de cura. Amém.

68 PSIQUIATRIA E JESUS

DIA **7**

Mude a sua visão de mundo

Eles foram para Betsaida, e algumas pessoas trouxeram um cego a Jesus, suplicando-lhe que tocasse nele.

Ele tomou o cego pela mão e o levou para fora do povoado. Depois de cuspir nos olhos do homem e impor-lhe as mãos, Jesus perguntou: "Você está vendo alguma coisa?".

Ele levantou os olhos e disse: "Vejo pessoas; elas parecem árvores andando".

Mais uma vez, Jesus colocou as mãos sobre os olhos do homem. Então seus olhos foram abertos, e sua vista lhe foi restaurada, e ele via tudo claramente. (Marcos 8:22-25)

A cura do homem cego de Betsaida é o único milagre de Jesus descrito nos Evangelhos que ocorre em etapas, não de maneira única e instantânea. Por que será que Cristo atuou dessa forma? Qual é o sentido? Existem várias formas de compreender essa atitude, mas o Senhor realizou esse milagre da maneira que entendeu ser necessária ao socorro daquele homem doente e aflito, para que esse testemunho pudesse nos edificar hoje. Nada que ele fez deixava de ter um propósito. O Mestre não era, como muitas vezes concluímos, refém de um método.

Atualmente, as pessoas buscam fórmulas mágicas ou protocolos para obter resultados espirituais e emocionais. O nosso Senhor, porém, individualiza os cuidados a uma pessoa de maneira única e particular. Ele não trabalha em linha de produção, não massifica pessoas nem está interessado em produzir uma seita regida por mantras ou repetições. Cada ser humano é único, e a cura das nossas emoções pode ocorrer de maneiras distintas.

Jesus pode variar os métodos de atuação na nossa vida ao longo da nossa caminhada cristã. A maneira de ele nos tocar no passado pode ser criativamente alterada hoje para que sejamos curados de formas mais profundas e vivenciadas. Ele é ilimitado e criativo. Experiências com Deus no passado não podem nos impedir de experimentar novas formas de revelação hoje. Não podemos nos tornar rígidos nem viver uma espiritualidade protocolar.

> **Não se prenda a um único método. Jesus não é repetitivo. Ele é criativo e sabe do que você precisa hoje.**

Costumamos querer que o Pai atue conforme os nossos desejos e aspirações. Por pressa e desejo de um roteiro prático e acessível, nós nos esquecemos de que o Criador nem sempre promoverá cura da maneira que pensamos. Queremos velocidade, tudo em "um piscar de olhos", mas, em alguns momentos, ele permite que vivenciemos a cura em etapas. Muitos cristãos se decepcionam, acreditando que devem sempre ser curados de maneira mágica ou sobrenatural. Esquecem-se de que o Pai executa milagres e curas utilizando formas que estão além da nossa compreensão.

Você já pensou que a cura em etapas pode passar pelas mãos de um médico ou de um terapeuta? Ignoramos as infinitas possibilidades divinas e queremos impor a maneira pela qual gostaríamos de ser curados. Nem sempre reconhecemos que Deus pode nos curar com métodos naturais dados como bênção aos homens. A recuperação, tanto de problemas físicos quanto emocionais, nasce da graça multiforme com diferentes formas de atuação e nem sempre vem à luz de uma única vez, mas parte por parte.

A restauração das emoções funciona dessa forma.

Muitos seguidores de Jesus acreditam que não foram tocados por ele, uma vez que os sintomas depressivos e ansiosos ainda persistem. Para eles, o Eterno parece estar distante e ter lhes abandonado com suas próprias emoções. Pensam que, se os sintomas permanecem, é porque o fator divino não atuou. Esse equívoco adoece muitos cristãos. Assim como a cegueira física do cego de Betsaida, a nossa cegueira emocional pode ser eliminada por estágios durante os quais o Filho atua em nós, tocando nas nossas dores; desse modo, ele revela as nossas necessidades em sessões recorrentes de terapia.

O Pai nos transforma pouco a pouco para que nos tornemos mais parecidos com o próprio Cristo (2Coríntios 3:18). Assim, a nossa mente é gradualmente remodelada conforme a atuação do Espírito Santo e da Palavra. Essa maneira de compreender a cura é relevante, pois nos tira o peso de acreditar que não somos restabelecidos por falta de fé, por não sabermos pedir da maneira certa ou simplesmente por falta de interesse divino.

A regeneração pode acontecer por etapas que, muitas vezes, fogem à nossa compreensão. Nas enfermidades emocionais, a restauração é cercada de individualidade e mistérios que fogem ao controle e à compreensão humana. Os caminhos do Pai são muito maiores que os nossos.

Se você conhece Jesus e, mesmo assim, continua com dilemas e angústias emocionais, não se cobre. O Criador está trabalhando em você, e a restauração poderá acontecer por uma ação imediata ou por etapas. O Senhor sabe trabalhar suas emoções; basta você insistir na presença dele. O Pai age de maneiras diversas; não podemos manipular os roteiros.

É fato que, em passagens dos Evangelhos, alguns foram curados por buscar ativamente um toque físico, como é o caso da mulher com hemorragia: "porque pensava: 'Se eu tão somente tocar em seu manto, ficarei curada'" (Marcos 5:28). Em outras ocasiões, foi de maneira totalmente diferente; Jesus amorosamente recuperava os doentes e impuros com um simples toque: "Um leproso, aproximando-se, adorou-o de joelhos e disse: 'Senhor, se quiseres, podes purificar-me!' Jesus estendeu a mão, tocou nele e disse: 'Quero. Seja purificado!'. Imediatamente ele foi purificado da lepra" (Mateus 8:2,3).

A cura do cego de Betsaida se deu em duas etapas. Primeiro foi a incapacidade de enxergar os objetos ao redor. Depois, o toque do Senhor permitiu que o cego de Betsaida conseguisse interpretar o que via. Nas neurociências, aprendemos que, ao vermos um objeto, o cérebro automaticamente o interpreta com base em conceitos e experiências prévios com a cena ou o objeto visto. Por exemplo, você sabe que um cachorro *poodle* é menos perigoso que um *pit bull* somente porque um dia seu cérebro aprendeu e registrou essa informação por meio de sinapses, associando imagens a conceitos, valores afetivos e experiência.

Lembro-me de uma paciente que tinha medo de avião. Por mais que lhe mostrassem estatísticas da baixa probabilidade de acidentes, nada a fazia mudar de ideia. Ela sofria dessa fobia, entre outros motivos, porque, na infância, havia tido a experiência de ficar presa em um quarto sem receber socorro por horas. O lugar fechado e a impossibilidade de fugir lhe causaram crises de pânico recorrentes. Dessa forma, o medo de entrar em aeronaves estava associado ao fato de que o cérebro tinha aprendido a interpretar (de maneira distorcida) que lugares fechados levam a crises de pânico. Além dos voos, ela evitava lugares como cinemas etc. O medo não era que o avião caísse, mas passar por uma crise e não obter socorro. O problema dela não era a viagem, mas a tradução de um evento por um trauma prévio.

Você não somente enxerga, como também interpreta.

Toda visão da realidade passa por um processo de interpretação em várias regiões do cérebro. A partir de então é que as emoções são realmente formadas. Dessa forma, a depender da história de vida, das experiências ou até mesmo da ausência de estímulo, podemos ter dificuldade de compreender adequadamente a realidade. Biologicamente, os olhos são perfeitos, mas o cérebro não (uma vez que distorce a realidade). Pessoas com ansiedade, por exemplo, podem interpretar o mundo mais tenso e hostil do que de fato é; já um paciente deprimido pode vê-lo sem brilho ou cor, mesmo que todos insistam em que deveria ver a vida mais leve ou alegre.

Portanto, o cérebro pode impedir que compreendamos verdadeiramente a realidade. Essa sensação pode ser mais efetiva que aquilo que existe. Muitas vezes, não vemos o mundo real, mas o que a lente interpretativa do cérebro nos permite ver.

▶ Você tem interpretado a realidade de maneira errada? Costuma ouvir com constância que sofre mais do que deveria?

_____

_____

_____

_____

Traduzir o que enxergamos de maneira adequada é sempre um dos pilares da cura de todos os transtornos emocionais. Em uma sociedade carregada de estímulos, muitos deles distorcidos ou disfuncionais, torna-se relevante compreender a realidade como Jesus gostaria que a enxergássemos. Temos de orar constantemente para que o Senhor nos ensine a ver de maneira precisa, sem nos tornarmos reféns de traumas, abusos, negligências ou experiências disfuncionais. A cura das emoções levará a uma percepção progressiva da realidade tal como é.

O Mestre não se contentou em restaurar a visão biológica do cego. Não bastava restaurar a córnea ou a retina. Não era suficiente a luz entrar e gerar estímulo neural em um cérebro até então incapaz de processar a visão. Era necessário ir além e promover o entendimento correto dos fatos, trazendo à mente a visão perfeita, não a visão distorcida ou míope que tinha o cego de Betsaida. O Filho queria a interpretação adequada do que via. Mais do que perceber a luz e projetar formas na retina ("Vejo pessoas; elas parecem árvores andando"), o Salvador desejava que o coração do cego presenciasse a realidade sem limitações ou distorções. Cristo não se satisfaz com algo pela metade.

Existem distorções da interpretação da realidade que nunca poderão ser corrigidas por métodos humanos. Somente com os olhos integralmente abertos por Jesus, poderemos corrigir as distorções que roubam a nossa qualidade de vida e a saúde emocional.

A cura do cego de Betsaida não poderia ser apenas física; deveria atingir o coração, a forma de interpretar, a maneira pela qual afe-

> Jesus quer que você veja o mundo como ele vê.

tiva e emocionalmente ele compreendia o que via. Não bastava enxergar; era preciso interpretar. Conforme afirmei anteriormente, a mente aprende ao longo do desenvolvimento da personalidade. Memórias e aprendizados podem nos levar a distorções da realidade e distorções cognitivas.

O cego foi curado biologicamente, mas desaprendera a ver o mundo como realmente era e não sabia traduzi-lo adequadamente.

Pessoas emocionalmente doentes sofrem desse mal. A maneira segundo a qual vivem não é reflexo da realidade, mas do modo sorrateiro como o cérebro as trai ao produzir um cenário inexistente.

Atendo pacientes com depressão e ansiedade que acreditam que, se mudarem de ambiente, cidade, emprego ou até mesmo de relacionamento, serão curados. Em muitos casos, porém, a mudança da realidade externa não se reflete internamente no cérebro, que continuará a distorcer a realidade. Eles continuarão vendo homens andando como árvores.

Era necessário que o cego de Betsaida enxergasse claramente. Jesus não se contentou em deixar o processo pela metade. Creio, à luz das neurociências, que o segundo passo na cura do cego foi o processo de interpretação da realidade. Por viver na cegueira, ele não conseguia interpretar adequadamente o que estava diante dele. Em alguma proporção, todos somos como esse cego e precisamos remover as escamas da alma que nos impedem de ver a realidade.

Quando os traumas, as experiências e a história são profundamente tocados por Jesus, então nossas emoções serão curadas e estaremos aptos a interpretar satisfatoriamente a realidade.

Assim, as árvores da vida deixarão de ser distorções da realidade e passarão a ser sombras nas quais é possível ter uma vida equilibrada em um mundo cada vez mais ansioso e depressivo. Na caminhada cristã, somos continuamente transformados a fim de podermos ver o que Jesus gostaria que enxergássemos. O Mestre não se furtará em abrir os nossos olhos, mesmo que a cura venha em etapas.

Não desanime quando os resultados não são imediatos e permita que, progressivamente e por meio do aprendizado, o Senhor abra os seus olhos e gere equilíbrio na sua visão de mundo. Tenha paciência. Não se culpe durante a jornada. Apenas insista para que Cristo conduza o processo.

REFLEXÃO

A cura das suas emoções pode vir em etapas.

VERSÍCULO PARA MEDITAR

E todos nós, que com a face descoberta contemplamos a glória do Senhor, segundo a sua imagem estamos sendo transformados com glória cada vez maior, a qual vem do Senhor, que é o Espírito. (2Coríntios 3:18)

DIA **8**

Identifique as distorções da realidade

No capítulo anterior, vimos que, muitas vezes, não enxergamos a vida como ela realmente é. Então, devemos buscar corrigir a maneira distorcida pela qual vemos o mundo. Neste exercício, você aprenderá a identificar quais são as suas principais distorções cognitivas.

► Alguém já lhe disse que você enxerga a realidade de maneira distorcida? Você já foi rotulado como uma pessoa que vê as coisas de maneira pior do que realmente são? Alguma vez, simplesmente não conseguiu desfrutar aquilo que todos aproveitam sem culpa nem ansiedade ou estresse? Reflita e escreva o que as pessoas dizem sobre a sua maneira de ver o mundo.

_____

_____

_____

_____

_____

_____

_____

_____

_____
_____
_____
_____
_____
_____
_____

O QUE SÃO DISTORÇÕES DE INTERPRETAÇÃO DA REALIDADE

As distorções de interpretação da realidade são maneiras adulteradas com as quais as pessoas interpretam as situações a que são submetidas. São formadas por pensamentos sabotadores ou conceitos instalados na mente que nos impedem de enxergar a realidade ou as pessoas como realmente são.

Pense em alguma situação na qual alguém disse que você sofria mais do que deveria ou que o problema não era tão grande quanto parecia. Muitas vezes, a nossa mente hiperdimensiona de forma negativa as circunstâncias por meio desses mecanismos.

Temos muitos conceitos instalados na mente que funcionam como vírus de computador. Eles comandam a mente e capturam a visão da realidade de modo que chegam a afetar as emoções, gerar sofrimento ou causar mais preocupações do que o necessário. As distorções são pontos cegos, gatilhos mentais, conceitos alterados já armazenados, armadilhas mentais e fortalezas da mente que precisam ser corrigidos por Jesus, para que possamos avançar rumo a uma vida emocional mais sólida e equilibrada.

PRÁTICA 1
IDENTIFIQUE AS DISTORÇÕES DA REALIDADE

Aprenderemos a identificar alguns tipos comuns de distorção de interpretação da realidade que costumam trair a mente. São eles:

Leitura mental	Achar que sabemos o que os outros pensam sem ter evidências. Pensamos no que alguém pensa de nós ou de algo mesmo sem nenhum fato/evidência. Sofremos pela nossa imaginação, não pelos fatos.

Previsão do futuro negativa	Fazer somente previsões negativas para o futuro. Nesse caso, sempre acreditamos que o pior acontecerá. Mesmo que nada no horizonte indique, vivemos angustiados no presente pela antecipação trágica do futuro.
Catastrofização	Acreditar que um acontecimento é terrível e insuportável. Sabe quando algo pequeno que você viveu pareceu ser muito pior do que era? Algumas pessoas sofrem de catastrofização: tudo é vivido de maneira intensa e perturbadora.
Rotulação	Atribuir traços negativos como se englobassem completamente as pessoas. Rotulamos as pessoas e somos incapazes de ver seus aspectos positivos.
Desqualificação do positivo	Menosprezar aspectos positivos de si mesmo e dos outros. É um estado crônico de desvalorização de características boas.
Filtro negativo	Enxergar somente a faceta negativa da pessoa ou da situação. O copo é sempre visto como mais vazio do que cheio.
Generalização	Padrão global negativo baseado em um único evento. Se algo foi ruim em algum aspecto, todos os demais são ruins. Se um pastor me ofendeu, generalizo dizendo que todos os pastores são iguais. Se tive uma experiência ruim em um relacionamento, generalizo que nenhum relacionamento é bom.
Pensamento dicotômico	Avaliar fatos ou pessoas em termos de tudo ou nada. Tornamo-nos intransigentes e não somos flexíveis.
"Deveria"	Enfatizar como as coisas deveriam ser em vez de perceber o que são. O "deveria" nos impede de tentar melhorar. Ficamos presos ao cenário considerado ideal e não melhoramos o real.
Personalização	Atribuir somente a si mesmo a culpa por fatos negativos. Sentimento crônico de que somos culpados por tudo.
Culpabilizar	Culpar sempre as outras pessoas como fonte de seu sofrimento emocional.
Comparações injustas	Estabelecer padrões irreais, comparando-se com níveis muito superiores. Você compara seu corpo, sua vida etc. com pessoas ou ambientes em geral fora da realidade.

Lamentação	Enfatizar exageradamente o que poderia ter feito em vez do que poderia fazer agora. Você vive remoendo o passado por não ter feito algo e não consegue ter forças para seguir em frente.
"E se"	Fazer mil e uma conjecturas "se isso ou aquilo acontecer" e nunca se dar por satisfeito e seguro. Você fica paralisado, porque tenta desenhar inúmeros cenários mentais que não lhe permitem sair do lugar.
Incapacidade de refutar	Negar evidências que contradizem os pensamentos negativos. Você não consegue confrontar a mente com cenários ou conceitos mentais libertadores; está sempre rendido aos pensamentos e já não consegue refutá-los pela lógica ou por meio de fatos concretos.
Julgamento	Avaliar tudo em termos de bom ou mau, de superior ou inferior, exagerando no julgamento. Você atua como um juiz extremista.

PRÁTICA 2

Escreva com quais distorções de interpretação da realidade você se identificou. Anote cinco situações em que elas se fazem presentes.

▶ Tente distribuir as situações na tabela a seguir. Na coluna da esquerda, descreva como você percebe a realidade. Depois, esforce-se para imaginar como a realidade é de fato. Veja os exemplos:

MINHA FORMA DE VER A REALIDADE	COMO A REALIDADE É
E se o meu exame de mama der alguma alteração?	Estatisticamente, o médico me disse que a chance é mínima.
Acho que o meu marido está me traindo.	Ele não dá nenhum indício prático e evidente de que isso esteja acontecendo.

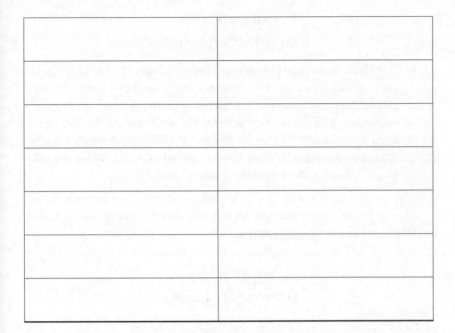

PRÁTICA 3
ORAÇÃO

Senhor Jesus, obrigado por teu amor e por sempre insistir em transformar a minha visão da realidade. Mesmo que os meus olhos não possam ver adequadamente, sei que constantemente tu tens transformado o meu coração para que ele seja cada vez mais parecido com o teu. Peço-te que, hoje, me ajudes a corrigir a visão distorcida que tenho das situações ou pessoas ao meu redor.

Tenho visto a vida distorcida nas seguintes áreas: _____

_____.

Que a tua Palavra entre no meu coração e me cure de traumas do passado, de conceitos ou erros de interpretação que roubam constantemente a minha paz ou o meu prazer de viver! Ajuda-me a ver o mundo com os teus olhos. Não quero mais ver os homens andando como se fossem árvores, mas quero perceber a vida de maneira equilibrada, mesmo que isso implique muitas vezes ter sofrimentos incompreensíveis. Concede-me paciência para entender que a cura pode acontecer em etapas. Não deixes que a pressa ou o imediatismo me façam acreditar que o Senhor não está transformando a minha vida. Corrige a visão do meu coração.

PRÁTICA 4
MEDITAÇÃO BÍBLICA

O servo do homem de Deus levantou-se bem cedo pela manhã e, quando saía, viu que uma tropa com cavalos e carros de guerra havia cercado a cidade. Então ele exclamou: "Ah, meu senhor! O que faremos?". O profeta respondeu: "Não tenha medo. Aqueles que estão conosco são mais numerosos do que eles". E Eliseu orou: "Senhor, abre os olhos dele para que veja". Então o Senhor abriu os olhos do rapaz, que olhou e viu as colinas cheias de cavalos e carros de fogo ao redor de Eliseu. (2Reis 6:15-17)

Medite nesse texto e peça ao Senhor que abra os seus olhos para ver a realidade conforme Deus a enxerga.

PRÁTICA 5
MEDITAÇÃO BÍBLICA

Ore o salmo 139.

DICA DO PSIQUIATRA

As distorções cognitivas são corrigidas no longo prazo. Um bom exercício é sempre tentar imaginar a realidade e também pensar em outros cenários além daqueles que a sua mente elabora. Comece a anotar as situações em que você vê a realidade de maneira disfuncional. Não tenha receio de procurar um psicólogo para ajudá-lo em todo o processo de cura.

DIA **9**

Como Jesus vê os seus sentimentos

> Ao ver chorando Maria e os judeus que a acompanhavam, Jesus agitou-se no espírito e perturbou-se. "Onde o colocaram?", perguntou ele. "Vem e vê, Senhor", responderam eles. Jesus chorou. [...] Jesus, outra vez profundamente comovido, foi até o sepulcro. Era uma gruta com uma pedra colocada à entrada. "Tirem a pedra", disse ele. Disse Marta, irmã do morto: "Senhor, ele já cheira mal, pois já faz quatro dias". Disse-lhe Jesus: "Não falei que, se você cresse, veria a glória de Deus?"
> (João 11:33-35, 38-40)

Sem dúvida, um dos maiores aprendizados acerca de Jesus é que ele compreende os nossos sentimentos. De fato, não há emoção que você possa experimentar, independentemente da época da sua vida, que o nosso Senhor seja incapaz de sentir ou compreender em toda a sua magnitude. Você está triste? Ansioso? Sem esperança? Desanimado? Cansado? Sem fé? Nenhum desses sentimentos escapa do amor divino.

Não há emoção que você sinta hoje que Jesus não tenha sentido.

A Bíblia nos relata duas ocasiões claras em que Jesus chorou: quando viu profeticamente o futuro de Jerusalém e por ocasião da morte de Lázaro. A segunda situação provocou lágrimas de profunda comoção. As emoções humanas do

Salvador foram levadas ao limite da compaixão e da indignação diante da morte e da dor.

É importante compreender a humanidade de Cristo para que tenhamos a exata compreensão de seu amor e compaixão para conosco. Esse entendimento nos ajudará nos nossos dilemas emocionais e é fundamental para toda a nossa caminhada cristã. Sobre o tema, o autor de Hebreus revela:

> Portanto, visto que temos um grande sumo sacerdote que adentrou os céus, Jesus, o Filho de Deus, apeguemo-nos com toda a firmeza à fé que professamos, pois não temos um sumo sacerdote que não possa compadecer-se das nossas fraquezas, mas sim alguém que, como nós, passou por todo tipo de tentação, porém, sem pecado (Hebreus 4:14,15).

Não servimos a um mestre indiferente. Ele continua sendo o sumo sacerdote capaz de nos ajudar e socorrer nas nossas fraquezas. Continua ativamente de braços abertos para nos auxiliar todos os dias. Certa vez, eu estava conversando com a minha filha mais velha sobre o que Jesus faz no céu hoje. A conclusão foi simples: ele segue nos amando e intercede por nós cheio de compaixão.

Jesus é tão acessível e compassivo como quando esteve na terra. De certa forma, as Escrituras dizem que ele passou por experiências de aprendizado enquanto esteve aqui: "Embora sendo Filho, ele aprendeu a obedecer por meio daquilo que sofreu; e, uma vez aperfeiçoado, tornou-se a fonte da salvação eterna para todos os que lhe obedecem" (Hebreus 5.8-9). Esse aprendizado não está relacionado à natureza divina, mas à humanidade do Mestre. Jesus foi progressivamente crescendo em graça e estatura diante de Deus e dos homens (Lucas 2.52), o que incluiu aprendizados emocionais e comportamentais. Ter consciência desse fato deve fazer que nos aproximemos ainda mais dele, que sabe o que é ser humano e compreende que nosso amadurecimento é progressivo, feito por etapas. Jesus segue o mesmo, assim como chorou pela morte de Lázaro, permanece no céu com amor, ternura e solidariedade por todos que sofrem.

Jesus não se esqueceu de como um ser humano se sente nos dias de angústia e dor.

A ressurreição de Cristo o tornou glorioso, mas não retirou dele nenhuma capacidade de acolhimento e compreensão com relação ao que realmente sentimos.

Compreender a estrutura emocional de Cristo na terra nos possibilita estar mais confiantes diante do Deus que conhece detalhadamente cada emoção que experimentamos. De certa forma, o Filho aprendeu sobre as nossas emoções no tempo em que esteve aqui. Esse conhecimento é uma grande fonte de graça e paz. Quando você sofre, fica angustiado ou tem alguma emoção que não consegue expressar precisamente, Jesus consegue interpretá-la à perfeição. Por mais que faltem palavras nas suas orações, ele consegue saber exatamente quais são os seus sentimentos, uma vez que é Deus e foi homem.

Um dos pilares da teologia cristã é que Jesus foi homem e Deus ao mesmo tempo. As Escrituras nos dizem claramente que ele tinha corpo humano (Lucas 2:7), apresentou neurodesenvolvimento físico e intelectual como qualquer um de nós (Lucas 2:40,52); sentiu emoções humanas como compaixão (Mateus 9:36), amor (João 11:36), indignação (Marcos 10:14); teve necessidades humanas como: fome (Mateus 4:2), sede (João 19:28), sono (Mateus 8:24), cansaço, além de tantas outras situações que definem o ser humano. O corpo dele teve as mesmas necessidades que o seu tem hoje.

Desse modo, Jesus evidenciou todo o espectro de emoções que um ser humano poderia experimentar. Ao receber um corpo físico, foi capacitado pelo Pai a vivenciar tudo que um homem é capaz de sentir e de se conectar emocionalmente. O cérebro de Jesus era como o seu, com rede neural e neurotransmissores, capaz de processar emoções em vias neurobiológicas. É um engano achar que Cristo não experimentou emoções ou que a personalidade dele não tenha sido modificada ao longo da existência terrena. Muitos acreditam que, pelo fato de ser 100% Deus, suas emoções tenham sido mascaradas; contudo, essa não é uma verdade bíblica. Ele não somente experimentou sentimentos, como também passou por processos de amadurecimento psicológico ao longo de sua vida terrena. A diferença é que ele não pecou ao expressar sentimentos e emoções.

Jesus conseguia expressar o que sentia de maneira perfeitamente equilibrada e proporcional em cada ocasião. Podemos, por exemplo, ter momentos de ira santos ou pecaminosos. A ira que o Senhor manifestou na terra foi isenta de pecado (como na ocasião em que expulsou os mercadores do templo). Ele foi o único homem que viveu as próprias emoções de maneira perfeita, equilibrada e com a dose certa de sensibilidade em cada momento. Sentiu tristeza, raiva, alegria e até mesmo ansiedade. Foi humano e sabe exatamente como nos sentimos por já ter experimentado todas as emoções humanas.

Temos de ser muito cautelosos ao dizer que determinadas emoções (como ansiedade) são pecados, como veremos nos capítulos seguintes. O Filho experimentou essas emoções e não pecou.

O Diabo, o nosso adversário, não é onisciente nem onipotente como Cristo. Contudo, sabe muito sobre a nossa vida ao observar como nos comportamos. Cada gesto, olhar ou sensação pode sinalizar eventuais caminhos ou estratégias para que o nosso inimigo possa "matar, roubar ou destruir" algo na nossa vida. Entretanto, a Bíblia nos aponta que Jesus, além de ser onisciente e onipotente, tem uma ajuda magnífica para nós nas nossas lutas contra o inimigo: ele teve sentimentos humanos. O Senhor não conhece as nossas fraquezas apenas por analisar ou observar o nosso comportamento; ele nos conhece porque sabe o que é ser humano!

Talvez a melhor palavra para demonstrar como Jesus compreende a nossa vida emocional seja "compaixão". Nas Escrituras, a palavra grega usada para descrevê-la é *splanchnizo*. Essa palavra demonstra um sentimento profundo que se move internamente e é incontrolável; uma agitação interna que se impulsiona profundamente a respeito de algo. O *Dicionário Houaiss* define compaixão como "sentimento piedoso de simpatia para com a tragédia pessoal de outrem, acompanhado do desejo de minorá-la; participação espiritual na infelicidade alheia que suscita um impulso altruísta de ternura para com o sofredor". Entretanto, essas definições não abarcam tudo que a compaixão divina significa, porque esta é perfeita, isenta de contaminação do pecado e perfeitamente equilibrada. O Mestre agia sob esse cobertor de modo observável em vários trechos dos Evangelhos (Mateus 20:34, Marcos 1:41).

Diante do sofrimento, da dor, do luto, das mazelas da alma e de tudo o que a Queda trouxe à existência humana, Jesus expôs uma compaixão impactante. Como humanos, podemos e devemos senti-la. Em diversos momentos, sentimos esse "impulso altruísta de ternura para com o sofredor". Entretanto, a nossa compaixão é precária, fugaz e insuficiente para compreender todas as demandas que cruzam o nosso caminho.

O Senhor não foi assim. Era santo, poderoso, justo e se irava, mesmo sendo cheio de compaixão. Vivia imerso em um coração criativo e compassivo. É por isso que o texto citado de Hebreus deve permanecer firme no nosso coração: não temos um sacerdote incapaz de se compadecer da nossas fraquezas. Cristo viveu e superou todas elas. É libertador. Não devemos ter medo de expressar sentimentos de medo, raiva, angústia, solidão, ansiedade ou depressão diante do Filho. Ele sabe como você se sente e biologicamente experimentou os mesmos sentimentos. Logo: "[...] aproximemo-nos do trono da graça com toda a confiança, a fim de recebermos misericórdia e encontrarmos graça que nos ajude no momento da necessidade" (Hebreus 4:16).

Uma das grandes dificuldades de um psiquiatra é compreender exatamente o que os pacientes sentem. Por mais que eu me esforce, nunca entenderei completamente a dor emocional que um deprimido ou ansioso crônico experimenta. Já vivenciei vários momentos depressivos ou ansiosos, mas nunca tão graves a ponto de me paralisarem totalmente, como vejo em muitos pacientes. Contudo, o que o texto de Hebreus quer nos ensinar é que existe uma íntima conexão entre os nossos sentimentos e os de Jesus. Ele pega na nossa mão, anda ao nosso lado e é capaz de sentir conosco as nossas dores e os nossos sentimentos. Se algo nos incomoda, o Senhor se comove. Se algo nos faz sofrer, ele tem compaixão de nós e nos socorre. Não é apenas fruto de aprendizado. Ele é coparticipativo durante toda a jornada.

Muitos podem argumentar que o Filho está glorificado e vive nos céus, o que é totalmente verdadeiro. Entretanto, o autor de Hebreus nos mostra que não anula a capacidade de ele se

> **Jesus sofre com você hoje. Ele está ao seu lado.**

compadecer de nós. Devemos nos aproximar do trono da graça com confiança. Assim, quando lemos o relato da ressurreição de Lázaro e vemos nas Escrituras que o Mestre chorou, devemos ter em mente que a compaixão apresentada naquele dia ainda está disponível. A passagem nos ensina muito sobre o cuidado de Cristo com os nossos sentimentos e dores.

Também aprendemos com o choro dele. Apesar de saber de antemão que, em poucos instantes, Lázaro seria ressuscitado e até poder visualizar mentalmente a cena do amigo conversando com Marta e Maria, mesmo assim, ele chorou. Em muitos momentos, um abraço, o choro e o sofrimento partilhado valem mais do que mil argumentos teológicos. Ele viu e sentiu o que a morte significa para a existência humana. Ainda que fizesse um grande milagre poucos segundos depois, demonstrou ter sentimentos carregados de compaixão. Quando passamos por um sofrimento, muitos se aproximam com discursos motivacionais ou querem advogar em favor de Deus, mas eles se esquecem do mais importante: a compaixão.

Eu me lembro de uma paciente cujo filho estava no Centro de Terapia Intensiva (CTI) por causa de uma pneumonia grave. Uma das pessoas a visitou e disse que Deus colocara o menino ali porque queria tratar a dureza do coração dela e do marido, supostamente em pecado. Entretanto, o casal tinha ótimo relacionamento, e obviamente o visitante não poderia afirmar que a enfermidade se devia a pecados dos pais. Quantas vezes vivemos a experiência de estar no meio de uma dor, passar por um grande sofrimento e muitos se aproximam de nós com discursos teológicos plastificados, respostas prontas ou julgamentos sobre a vontade divina que acabam aumentando ainda mais a nossa angústia e aflição.

Na ocasião da morte de Lázaro, Jesus poderia dizer a Marta e Maria: "Vocês não têm fé?", "Eu já não disse que essa enfermidade não é para morte?", "Vocês não confiam em mim"? ou "Não viram os milagres que já realizei?". Entretanto, ele não as julga, mas demonstra compaixão e chora com as irmãs. O verdadeiro discípulo sabe que, mais do que discurso teológico, precisamos de abraço, choro e escuta na dor. Chorar diante da dor, do luto, da perda ou do sofrimento não é pecado. Lamentar-se, entristecer-se, perder as esperanças e ter uma fé oscilante não são ações que nos afastam de Deus; o choro do Senhor demonstra que, como humanos, devemos expressar nossos sentimentos sem máscaras.

Se Jesus chorou, você pode chorar também.

A ressurreição de Lázaro nos assegura também da amizade do Mestre para conosco. Sim, ele é o nosso Salvador, mas também o nosso amigo. Ele vivia rodeado de pessoas que se aproximavam por motivos distintos; alguns por curiosidade, outros por necessidade, mas Lázaro, Maria e Marta eram muito próximos. O mestre por vezes se hospedava com aquela família e tinha grande carinho por eles.

Ainda assim, Lázaro ficou doente, e Maria e Marta foram tomadas por grande sofrimento. Muitas vezes achamos que, por sermos amigos de Jesus, não passaremos por situações que fugirão à compreensão humana. A perda de um parente, uma enfermidade, um problema financeiro ou uma aflição no casamento podem constantemente nos fazer duvidar do real amor de Deus por nós.

Talvez você esteja em um quadro depressivo que não melhora, ou a ansiedade esteja roubando a sua fé. Você pode ser cristão e passar por sofrimento, bem como por doenças da alma, mesmo sendo amigo de Jesus. A boa notícia é que ele compreende as nossas dúvidas e oscilações de fé. Os nossos questionamentos não o impedem de continuar guiando soberanamente a nossa vida.

Antes da morte do irmão, Marta e Maria comunicam a Jesus que estavam passando por grande sofrimento. Propositalmente, ele ficou mais dois dias onde estava e, nesse meio-tempo, Lázaro morre. O Senhor sabia que a doença não resultaria na morte definitiva de Lázaro, pois tinha pleno conhecimento do momento em que acabaria com a aflição dos amigos. O tempo de aparente demora de Cristo não é fácil de ser vivido. Para as irmãs, aqueles dias foram intermináveis: por que Jesus não aparecia? Por que não se apressava para socorrê-las?

Diante de sofrimentos e do aparente silêncio do Eterno, somos tomados por sentimentos antagônicos, em que a fé e a desesperança se misturam em completa agonia.

▶ Você já passou por momentos nos quais o tempo de espera foi doloroso? Hoje você vive um momento em que a sua fé está sendo provada e acaba pensando que Jesus o abandonou?

_____

_____

_____

_____

_____

No consultório, vejo muitos pacientes com depressão e ansiedade tomados por pensamentos de que Jesus está distante ou alheio aos sentimentos deles. A depressão e a ansiedade podem ser a morte da alma que rouba a fé (falarei sobre esses temas posteriormente). Muitos pacientes me perguntam: "Doutor Ismael, Jesus me abandonou?", "Por que ele não responde ao meu clamor?"

Marta inicialmente disse-lhe: "Senhor, se estivesses aqui, o meu irmão não teria morrido, Mas sei que, mesmo agora, Deus te dará tudo o que pedires". Entretanto, posteriormente, já no túmulo, afirma: "Senhor, ele já cheira mal, pois já faz quatro dias". Marta exemplifica todo cristão. A nossa fé pode alternar entre momentos de grande convicção e dúvida. Em alguns momentos, confiamos que o Pai é capaz de tudo; em outros, somos pessimistas diante da dura realidade que nos impõe a dor e o sofrimento.

Não somos chamados a negar o problema. Jesus não repreende Marta por mostrar a realidade. Ele novamente compreendeu sua dor. Talvez você tenha muitos questionamentos. Talvez sua fé seja como a de Marta.

Talvez o seu casamento já esteja cheirando mal. Talvez você tenha chegado a um ponto no qual não há soluções humanas possíveis, e suas orações são apenas gemidos de uma alma aflita e deprimida. O Senhor sabe o que é ver alguém no limite da dor e do sofrimento. Ele viveu entre humanos que choram e também chorou, mesmo sabendo que em seguida haveria um milagre. Ele sempre sabe a hora certa de agir. Não desanime.

Lázaro foi ressuscitado, e esse foi um dos grandes milagres do Filho. Contudo, além de vermos a beleza da ressurreição (nós também seremos ressuscitados um dia), não podemos deixar de ver a beleza da compaixão do Mestre por aquela família. Quando buscamos Jesus em meio à dor e lhe contamos os nossos sofrimentos e sentimentos, ele sabe o que é ser humano; compreende exatamente o que estamos vivendo e tem grande compaixão por nós. Ele não mudou. O coração dele hoje é o mesmo de quando esteve na terra. Ele continua intercedendo por nós junto ao Pai.

REFLEXÃO

Jesus sabe como você se sente hoje.

VERSÍCULO PARA MEDITAR

[...] mas aqueles que esperam no Senhor renovam as suas forças. Voam alto como águias; correm e não ficam exaustos, andam e não se cansam. (Isaías 40:31)

DIA 10

Como você se sente hoje

PRÁTICA 1
SENTIR TRISTEZA OU ANSIEDADE É COMUM
E FAZ PARTE DA CAMINHADA CRISTÃ

No capítulo anterior, observamos que Jesus experimentou sentimentos como qualquer outro ser humano. Entretanto, muitas vezes somos julgados na nossa caminhada cristã por nos sentirmos tristes, ansiosos ou angustiados. Até mesmo pessoas próximas, durante um aconselhamento, desejando nos ajudar, podem aumentar a nossa dor e nos fazer sentir pior do que estávamos.

▶ Você já teve um momento em sua vida cristã em que seus sentimentos não foram compreendidos por outras pessoas? Como foi essa situação?

_____

_____

_____

_____

_____

_____

PRÁTICA 2

► Sabendo que Jesus compreende seus sentimentos, como acha que ele acolheria você hoje?

_____

_____

_____

_____

_____

_____

PRÁTICA 3
ORAÇÃO

Senhor Jesus, sei que tu sabes como me sinto. Muitas vezes, não fui compreendido pelos meus irmãos nem pela minha família. Entretanto, sei que não há nenhum sentimento no meu coração que não possa ser compreendido por ti. Hoje apresento os meus sentimentos diante do Senhor sem medo nem culpa. Confesso que estou me sentindo (diga como você se sente)

_____ ,

e isso constantemente rouba a minha paz e a minha alegria. Cura as minhas emoções. Ajuda-me a compreendê-las e a vencer sentimentos que roubam a minha saúde, a minha fé e o meu desejo de viver. Amém.

PRÁTICA 4
ELIMINE DA SUA VIDA CRISTÃ CONCEITOS DISTORCIDOS SOBRE SENTIMENTOS E SAÚDE MENTAL

É muito importante romper preconceitos relacionados à fé e à saúde mental. A seguir, cito dez conceitos errôneos, mas constantemente referidos nas comunidades cristãs. Você já escutou alguma das frases a seguir?

1. Cristão não tem depressão.
2. Toda tristeza é pecado.
3. Toda ansiedade é pecado.

90 PSIQUIATRIA E JESUS

4. Sentir tristeza é não confiar em Deus.

5. Cristão não sente medo.

6. O discípulo de Jesus não chora.

7. Fé é nunca duvidar.

8. Deus não se importa com os seus sentimentos, mas com o que você faz por ele.

9. As emoções impedem o agir de Deus.

10. Tudo é espiritual.

PRÁTICA 5

▶ Anote com quais das frases anteriores você se identificou e quais delas são conceitos equivocados sobre saúde mental. Quando chegar ao final do livro, retorne a esta página e verifique quais desses conceitos errôneos foram eliminados da sua vida.

PRÁTICA 6
MEDITAÇÃO

▶ Vá a um local sem muito barulho e socialmente isolado. Feche os olhos, respire fundo por sete vezes, suave e lentamente. Depois, anote quais sentimentos e pensamentos vêm à sua mente durante dois minutos. Repita o processo cinco vezes. Respire. Reflita. Anote.

_____

_____

_____

_____

_____

_____

_____

_____

_____

_____

_____

► Algum pensamento ou sentimento ocorreu em todas as ocasiões durante as cinco repetições?

_____

_____

_____

Leve esses pensamentos a Deus em oração por cinco minutos, pedindo que ele apresente soluções ou alívio aos seus pensamentos ou sentimentos.

PRÁTICA 7
LEITURA BÍBLICA

Ninguém tem maior amor do que aquele que dá a sua vida pelos seus amigos. Vocês serão meus amigos, se fizerem o que eu ordeno. Já não os chamo servos, porque o servo não sabe o que o seu senhor faz. Em vez disso, eu os tenho chamado amigos, porque tudo o que ouvi de meu Pai eu tornei conhecido a vocês. Vocês não me escolheram, mas eu os escolhi para irem e darem fruto, fruto que permaneça, a fim de que o Pai conceda a vocês o que pedirem em meu nome. (João 15:13-16)

PRÁTICA 8
ORAÇÃO

Senhor Jesus, hoje me aproximo de ti para dizer como me sinto. Sei que a tua compaixão vai muito além do que eu possa imaginar. Assim como tu choraste pela dor de Marta e Maria, sei que és capaz de compreender as minhas tristezas, a minha ansiedade, os meus questionamentos e até mesmo as minhas crises de fé. Apresento o meu coração diante de ti, Senhor, e peço que toques e cures as minhas emoções. Acredito plenamente que não há emoção humana que tu não tenhas experimentado e, por isso, sei que sabes como estou me sentindo. Que, por meio do Espírito Santo, as minhas emoções sejam curadas! Peço que, a partir de hoje, eu não me julgue por estar triste ou deprimido. Que todos os conceitos errôneos sobre saúde mental e fortalezas na minha mente sejam desfeitos! Transforma-me por teu amor curador. Amém.

DIA 11

Jesus sabe que nem tudo é espiritual

Notícias sobre ele se espalharam por toda a Síria, e o povo lhe trouxe todos os que sofriam de vários males e tormentos: endemoninhados, loucos e paralíticos; e ele os curou. (Mateus 4.24)

Que o próprio Deus da paz os santifique inteiramente. Que todo o espírito, a alma e o corpo de vocês sejam preservados irrepreensíveis na vinda de nosso Senhor Jesus Cristo. (1Tessalonicences 5.23)

Para prosseguir a nossa jornada de cura, precisamos, desde já, romper o preconceito de que tudo é espiritual. De fato, ao espiritualizar tudo, deixamos de buscar ajuda da maneira correta e necessária.

Na passagem citada, Mateus, inspirado pelo Espírito Santo, descreve separadamente as curas de Jesus e delimita as doenças físicas e espirituais. Podemos perceber a distinção entre loucos e endemoninhados. Obviamente, Jesus sempre via o ser humano de forma integral, mas é importante perceber que as curas foram descritas por palavras diferentes. Nada na Bíblia é por acaso. Jesus sabia que determinadas doenças eram, em primeiro lugar, espirituais, ao passo que outras, não.

Em alguns momentos, o Mestre realizava curas com a expulsão de demônios, mostrando-nos claramente que algumas enfermidades são causadas diretamente por ação de forças espirituais do mal. Entretanto, na grande maioria das vezes, Jesus simplesmente curava a enfermidade sem citar nenhuma palavra direta a respeito de demônios ou espíritos malignos.

Esse ensino é essencial quando pensamos em como Jesus trataria pessoas com depressão e ansiedade no nosso tempo. Como afir-

Jesus sabia separar as causas biológicas das espirituais.

mei anteriormente, o coração do Mestre não mudou; ele é compassivo e gracioso, e compreende exatamente como nos sentimos. Ele sabe perfeitamente se a depressão ou a ansiedade ocorre por causas originariamente biológicas, emocionais ou espirituais. Com olhar criterioso e revelação divina, Jesus nunca diria a um cristão com depressão estar endemoninhado, ou sendo oprimido, com a intenção de condenar. Ele nunca abordou uma enfermidade para causar mais dano ao doente ou provocar-lhe sentimento de culpa. Ele se lançava em compaixão.

Todas as vezes que um líder religioso ou conselheiro cristão aborda as enfermidades ou os transtornos mentais com olhar punitivo, aumentando a culpa ou fazendo julgamentos que só pioram a dor, definitivamente não age conforme o Senhor faria. Muitos pacientes com depressão e ansiedade sofrem grande preconceito, porque constantemente escutam que, se atravessam doenças psiquiátricas, é porque não têm fé, estão em pecado ou não oram o suficiente. A psiquiatria de Jesus, porém, não é assim. Ele fazia diagnósticos diferenciais precisos. Os Evangelhos não o mostram demonizando todas as doenças, tampouco aumentando a culpa ou ignorando os problemas reais dos que o buscavam.

Vimos anteriormente no Evangelho de Mateus que se apresentam diante de Jesus loucos, endemoninhados e paralíticos para serem curados. Podemos perceber que o texto bíblico faz uma nítida separação entre os acometidos por espíritos malignos e os que tinham enfermidades não causadas por demônios. O Senhor tinha total poder e controle tanto sobre um caso (quadros espirituais) como sobre o outro (quadros biológicos), mas não apontava para o Diabo ou para uma possessão demoníaca na maioria das curas que realizou. Ele sabia claramente separar os quadros físicos dos quadros espirituais.

É obvio que a Bíblia não é um tratado de psiquiatria ou de psicologia. Da mesma forma, os Evangelhos foram escritos para mostrar quem é Cristo, falar sobre a salvação e a reconciliação divina que nos tornam filhos de Deus.

Entretanto, as abordagens de Jesus nos ensinam muito a respeito de como devemos lidar com pessoas acometidas com transtornos emocionais. Nos próximos capítulos, estudaremos sobre a ansiedade e a depressão, mas antes precisamos entender melhor alguns conceitos bíblicos.

É interessante como as Escrituras mostram conceitos médicos e psicológicos que a ciência tem comprovado milhares de anos depois. A conexão entre cérebro, mente e espiritualidade é exaustivamente demonstrada nos textos sagrados. Somente nas últimas décadas, porém, a ciência tem admitido e investigado com maior atenção tal conexão. Sabemos que a espiritualidade, quando emocionalmente saudável, melhora o prognóstico de vários transtornos mentais.[1]

Se anteriormente a fé era vista com certo preconceito por parte de muitos profissionais, hoje se sabe que a religiosidade pode ser um fator protetor contra depressão e ansiedade, entre outras doenças. Chama-nos atenção nas Escrituras a necessidade de termos uma vida saudável e santificada em todos os aspectos. Paulo, escrevendo aos tessalonicenses, nos disse: "E que o próprio Deus da paz os santifique inteiramente. Que todo o espírito, a alma e o corpo de vocês sejam preservados irrepreensíveis na vinda de nosso Senhor Jesus Cristo" (1 Tessalonicenses 5.23).

Você é corpo, alma e espírito.

O apóstolo sabia, pelo Espírito Santo, que somos seres biológicos, emocionais e espirituais. Jesus, em todo o seu ministério, também via as pessoas da mesma forma e era capaz de fazer diagnósticos precisos de cada um que se achegava a ele pedindo ajuda. Além disso, o texto mostra que a nossa oração a Deus deve ser feita para que três esferas do nosso ser sejam conservadas íntegras e irrepreensíveis. Somos um banco de "três pés" e, se não cuidarmos de maneira adequada de um dos pilares, os outros dois serão afetados.

O problema é que geralmente enfatizamos excessivamente as causas espirituais, ou a vida espiritual, em detrimento dos cuidados com o corpo e com a alma. Quando falamos de transtornos psiquiátricos, é ainda mais relevante nas comunidades cristãs, pois existe uma tendência a espiritualizar as causas dessas doenças muito mais que as causas de outras enfermidades. Dessa forma, para compreender melhor como cuidar do corpo, da alma e do espírito, precisamos entender melhor o que cada termo significa.

---

[1] Koenig, H. G. "Research on religion, spirituality and mental health: a review", *Psychiatry*, maio 2009, n. 54 (5), p. 283-91.

Todo o corpo é interligado; uma área depende da outra para funcionar perfeitamente bem. É inegável que a principal parte do corpo humano, responsável pelo processamento das emoções, é o cérebro. A alma refere-se a emoções, sentimentos, vontades e personalidade, bem como aos registros armazenados no cérebro ao longo da vida. Se o cérebro é o *hardware* que processa as emoções, podemos dizer que a alma é o conjunto de *softwares* instalados que sofrem influência da nossa vida espiritual. Por fim, somos seres espirituais e, por isso, eternos.

Lembremos que, na Criação, Deus soprou o fôlego de vida nas narinas de um corpo que se tornou alma vivente (Gênesis 2:7). Sim, somos seres imateriais (espirituais) e materiais (corpo e mente). Uma área constantemente afeta e influencia a outra. É importante considerar que essa divisão tríplice (corpo, mente, espírito) tem um caráter apenas didático, ou seja, o homem é um ser integral que conecta as três áreas; por isso, qualquer divisão ou predileção no trato das questões pode tirar a beleza e a riqueza de sua constituição no momento da Criação divina.

Além disso, a parte material (biológica, emocional) interage constantemente com a parte imaterial (espiritual) e vice-versa, em perfeita unidade e influência mútua. Quando falamos de psiquiatria ou saúde mental, essa relação é ainda mais importante. O emocional influencia o espiritual e vice-versa. Da mesma forma, se o corpo (*hardware*, cérebro) estiver doente, teremos repercussões na nossa vida emocional e espiritual. Na maioria absoluta dos quadros de depressão e ansiedade, não estamos diante de quadros espirituais (de natureza imaterial), mas de quadros biológicos e emocionais (de natureza material).

Sabemos que, na Queda, essas três áreas foram afetadas. De fato, a natureza física (biológica) apresentou disfunções fisiológicas devido ao pecado (cf. Gênesis), que teve como consequência não somente a morte espiritual, mas também alterações no funcionamento biológico do corpo, o que nos predispõe a doenças. Antes da Queda, o homem não estava sujeito a nenhuma doença ou enfermidade. Depois dela, ocorreram alterações em todos os sistemas fisiológicos do organismo humano. Adão, antes da Queda, não tinha ansiedade patológica, depressão, TDAH (Transtorno do Déficit de Atenção e Hiperatividade) e nenhum outro transtorno mental. Aliás, creio que o cérebro do primeiro homem tinha potencialidades que não temos. A Queda também afetou o cérebro humano, e as nossas redes neurais passaram a adoecer.

Sabe por que é importante compreender que o corpo adoece? Parece óbvio, mas, certa vez, no consultório, um paciente insistiu que, como cristão, ele não poderia ter um corpo com enfermidades, uma vez que tinha nascido de novo ao se arrepender pela fé em Cristo. Ele era adepto de uma teologia segundo a qual as doenças são sinônimo de pecado. Logo, mantinha-se em oração todos os dias, confessando seus pecados, para obter a cura de problemas emocionais. Ele não compreendia que o novo nascimento era espiritual e que um corpo totalmente livre de doenças somente nos será dado na ressurreição dos mortos (1Coríntios 15.50-55). Para ele, toda doença do cérebro era espiritual, em vez de uma enfermidade causada por um mau funcionamento do órgão cerebral (consequência da Queda).

Enquanto vivermos na terra, poderemos apresentar doenças do coração (hipertensão, infarto), do fígado (hepatite), do pulmão (asma), doenças imunológicas (alergias) ou de qualquer órgão ou sistema do corpo biológico. O curioso é que os cristãos aceitam doenças de qualquer parte do corpo, mas se recusam a aceitar que o cérebro também adoece. Da mesma forma, diante de um transtorno mental, logo apontam para causas espirituais, sem entender melhor os contextos de cada caso. Assim, muitas pessoas se recusam a se submeter a tratamento psiquiátrico ou acham que tratar depressão ou ansiedade seja falta de fé ou sinônimo de pecado.

> O cérebro adoece como qualquer outro órgão do corpo.

O nosso cérebro não está imune a doenças; logo, também pode adoecer. Predisposições genéticas, hábitos de vida, estresse e ambiente são fatores que podem nos tornar doentes emocionalmente. Há uma tendência, no meio cristão, de não aceitar que o cérebro possa adoecer como qualquer outro órgão do corpo e que alterações de substâncias químicas em seu funcionamento (neurotransmissores) podem possibilitar transtornos mentais. Assim, tomar antidepressivos ou outros medicamentos psiquiátricos passou a ser considerado erroneamente sinônimo de falta de fé ou oração.

Em quase vinte anos de psiquiatria, vi muitos pacientes movidos por falsas promessas de revelação e cura divina. Diversos deles suspenderam o uso de medicamentos e pioraram significativamente seu estado emocional. Alguns acreditam que o novo nascimento em Cristo envolve restauração total e instantânea do corpo, da alma e da vida espiritual. Contudo, somente o espírito nasceu de novo quando o Espírito Santo veio morar em nós. Estávamos "mortos em [...] transgressões e pecados" (Efésios 2:1), mas Deus nos deu nova vida espiritual em Cristo.

Ao contrário do novo nascimento espiritual, a transformação e a cura das emoções são processos dinâmicos e progressivos (como vimos sobre a cura em etapas) que perduram ao longo de toda a vida dos cristãos. Se o novo nascimento espiritual é instantâneo, a transformação e a cura das emoções são gradativas, para que tenhamos cada vez mais a mente do Senhor.

> O novo nascimento espiritual é instantâneo. A renovação da mente, por sua vez, acontece em etapas.

O apóstolo Paulo, dirigindo-se à igreja em Roma, alertou a respeito da necessidade da renovação da mente (Romanos 12). Paulo sabia que aqueles cristãos já haviam nascido de novo espiritualmente, mas precisavam viver, passo a passo, a mudança de mentalidade a respeito de sua personalidade e identidade. A mente do cristão será transformada ao longo de toda a caminhada com Deus, em um processo que hoje a ciência chama de neuroplasticidade.

Quando compreendemos que a renovação da mente é contínua, temos mais sabedoria e paciência para compreender que um cristão genuíno pode, mesmo andando com Jesus, passar por oscilações emocionais. Na nossa caminhada de transformação da mente e das emoções, poderemos ter dias tristes e ansiosos, e isso não é necessariamente pecado.

O nosso temperamento, nossos sentimentos ao longo da vida, a maneira segundo a qual fomos criados, o contexto familiar, os traumas vividos na infância, negligências, abusos e outros processos emocionais moldam a nossa personalidade com marcas positivas ou negativas. Portanto, não devemos achar que, ao nascer de novo, essas marcas e características emocionais negativas serão instantaneamente eliminadas ou mudadas. As limitações serão vencidas ao longo da vida. Jesus renovará progressivamente as nossas emoções.

Muitos processos emocionais do passado persistem mesmo após o novo nascimento espiritual, podendo, até mesmo, nos fazer oscilar no nosso relacionamento com o Eterno. Emoções instáveis podem levar nossa fé, em alguns momentos, a ser abalada, e Cristo compreende perfeitamente essas oscilações. Os efeitos da Queda chegam ao corpo e à mente até a morte. Neste mundo, conviveremos com emoções disfuncionais que podem afetar os nossos relacionamentos, a nossa capacidade de trabalho e até mesmo a nossa vida espiritual. Costumo dizer aos pacientes que um

JESUS SABE QUE NEM TUDO É ESPIRITUAL   99

mundo livre da ansiedade só será possível na eternidade, quando estivermos diante do Pai e não formos reféns de um corpo corruptível e de uma sociedade corrompida.

Jesus, ciente de tudo isso, lidou com as enfermidades biológicas, emocionais e espirituais. Na maior parte dos relatos de cura presentes nos Evangelhos, ele não cura enfermidades expulsando demônios. O Mestre fazia constantemente diferença entre o originariamente físico e o originariamente espiritual quando realizava curas e milagres.

Em Marcos 9, por exemplo, Jesus curou um jovem surdo-mudo que desmaiava com frequência (v. 14-30). Nesse episódio, ele curou a enfermidade expulsando um espírito maligno, porque se tratava de uma doença de origem espiritual. Depois de Jesus ter expulsado o espírito maligno, o jovem recobrou a saúde. Em outra ocasião, Cristo expulsou um demônio de um homem surdo e cego para curá-lo (Mateus 12:22-37). Tendo expulsado o demônio, ele o ouviu e viu.

Entretanto, em outros momentos, a cura foi realizada em etapas sem menção a nenhuma atividade espiritual na vida do enfermo. O poder de Jesus para curar é o mesmo, independentemente da causa. No caso clínico da mulher samaritana, primariamente emocional, o Senhor a transformou por meio de um diálogo terapêutico, movido pelo Espírito Santo. Por outro lado, não podemos ignorar que, segundo os Evangelhos, algumas enfermidades têm como origem primária questões espirituais.

Em muitas ocasiões, o Filho curou a surdez, a mudez, a cegueira e outras enfermidades sem expulsar demônios, indicando que, naqueles casos, as doenças físicas não tinham relação direta com a atuação de espíritos malignos (v. João 9.1). É inconcebível pensar que Jesus curaria uma doença física com a permissão para que o doente permanecesse espiritualmente oprimido. Se as forças espirituais do mal não foram expulsas, é porque não eram os motivadores das doenças. Assim, o Mestre constantemente fazia um diagnóstico preciso de cada caso.

Como mencionei, em Mateus, essa diferenciação é novamente exposta: "Notícias sobre ele se espalharam por toda a Síria, e o povo lhe trouxe todos os que sofriam de vários males e tormentos: endemoninhados, loucos e paralíticos; e ele os curou." (Mateus 4.24). O texto parece indicar grupos diferentes de pessoas que recebiam restauração da saúde: endemoninhados e os que tinham doenças biológicas ("lunáticos" é um termo da época usado provavelmente para se referir a pessoas com transtornos mentais).

Além disso, devemos compreender claramente que, por mais que o inimigo faça de tudo para afetar as emoções de um filho de Deus, ele não é capaz de atuar no interior de uma pessoa convertida ao Senhor Jesus. Um cristão não fica endemoninhado, e o Diabo não tem poder para habitar onde vive o Espírito de Deus.

Logo, atribuir aos processos espirituais a origem de todos os quadros psiquiátricos e doenças que atingem o cérebro não é um ensino bíblico adequado. Devemos compreender que o próprio Cristo distinguia de maneira precisa o que era espiritual e o que era biológico. Dessa forma, continuamos sujeitos a adoecer emocional e biologicamente.

> A maioria dos cristãos com transtornos emocionais não apresenta desordens originariamente espirituais.

Se você ainda espiritualiza transtornos mentais, é hora de vencer esse ciclo e eliminar esse ensino tóxico. Você precisa compreender que o cérebro adoece e deve buscar ajuda caso isso aconteça com você.

Em outros capítulos, abordarei os dois transtornos mentais mais comuns nos dias de hoje, a depressão e a ansiedade, e como a vida de Jesus nos mostra caminhos terapêuticos para vivenciar e vencer esses transtornos.

REFLEXÃO

Não espiritualize tudo.

VERSÍCULO PARA MEDITAR

Que o próprio Deus da paz os santifique inteiramente.
Que todo o espírito, a alma e o corpo de vocês sejam preservados
irrepreensíveis na vinda de nosso Senhor Jesus Cristo.
(1Tessalonicenses 5:23)

DIA **12**

Sete dicas não medicamentosas para melhorar a saúde mental

PRÁTICA 1
LEITURA BÍBLICA

Acaso não sabem que o corpo de vocês é santuário do Espírito Santo que habita em vocês, que lhes foi dado por Deus, e que vocês não são de vocês mesmos? (1Coríntios 6:19)

PRÁTICA 2
DICAS NÃO MEDICAMENTOSAS PARA MELHORAR A SAÚDE MENTAL

No capítulo anterior, aprendemos que o cérebro pode adoecer. De fato, transtornos mentais são mais comuns do que a maioria da população imagina. O nosso ser é formado de corpo, alma e espírito; então, temos de aprender a cuidar adequadamente de cada esfera da nossa natureza.

Grande parte das doenças psiquiátricas presentes na sociedade atual são oriundas de hábitos que demonstram descuido com o cérebro. Períodos de estresse persistente levam o corpo a sofrer um processo de inflamação crônica,

102 PSIQUIATRIA E JESUS

o que acarreta o mau funcionamento dos neurônios. Por isso, o estresse — não a genética — é hoje considerado o grande vilão da saúde mental.

Nas fases iniciais, o estresse ajuda a liberar doses adequadas de substâncias importantes para aumentar a produtividade, o foco e a concentração. Assim, doses adequadas de cortisol, adrenalina e outros agentes são injetados no organismo para nos conduzir a respostas mais rápidas e eficazes. Na dose certa, o estresse não é necessariamente ruim e pode até ser considerado necessário à existência humana. Entretanto, quando persiste por um longo período, produz em excesso essas substâncias, além de um grande número de agentes inflamatórios, diariamente, injetados na corrente sanguínea.

Quando falamos de inflamação, precisamos separar a aguda da crônica. A inflamação aguda é aquela que ocorre devido a uma agressão de curto prazo no organismo, como uma virose, uma infecção bacteriana ou um trauma. Nesses casos, vários agentes são liberados no seu organismo para proteger você e reequilibrar a sua fisiologia, restabelecendo a sua saúde. Já a inflamação crônica é lenta e silenciosa. Ocorre em casos de estresse crônico. Nesse caso, você não tem febre ou outros sintomas, mas seu corpo vai progressivamente tendo mais substâncias inflamatórias do que deveria, o que começa a agredir o seu cérebro. A maior parte dos quadros de depressão e ansiedade hoje se deve a essa inflamação crônica causada pelo estresse crônico.

Em pessoas com uma genética favorável (sem muitos quadros psiquiátricos na família), podem ser necessários anos para que o adoecimento emocional ocorra. Alguém doente hoje provavelmente começou a desenvolver um quadro enfermiço muitos anos atrás. Logo, é importante cuidar adequadamente do corpo, para reduzir o estresse. O caminho para a prevenção dos transtornos mentais passa pela redução dos maus hábitos que nos levam a viver em estresse crônico e patológico.

▶ Como você tem cuidado do corpo e da mente?

A maior parte dos transtornos mentais poderia ser prevenida com mudança de hábitos e de estilo de vida. Um dos grandes efeitos colaterais de se espiritualizar tudo (conforme vimos no capítulo anterior) é negligenciar as práticas fundamentais para a boa saúde mental.

Foge do objetivo deste livro explorar todas as estratégias de prevenção de transtornos mentais, bem como a apresentação da literatura médica. Por isso, apresentarei apenas sete dicas práticas que, se adotadas, reduzirão significativamente o risco de adoecermos emocionalmente.

DICA 1: Reduza a exposição diária às mídias sociais para menos de três horas

As redes sociais se tornaram parte da nossa vida. Podemos passar horas do dia em plataformas ou aplicativos como Instagram, Twitter, Facebook, TikTok e WhatsApp sem perceber. Entretanto, qual é o impacto do uso dessas mídias na saúde mental? Uma pesquisa publicada pela revista médica *Jama Psychiatry*[1] verificou o tempo necessário para que o risco de adoecimento mental aumentasse após o uso de redes sociais entre adolescentes. Os dados são interessantes. Adolescentes norte-americanos que ficavam nas redes sociais mais de três horas por dia apresentaram risco 60% maior de desenvolver problemas de saúde mental em comparação aos que evitam o uso dos aplicativos. Aqueles que gastam mais de seis horas por dia tiveram um risco adicional de até 78%.

Apesar de o estudo ter sido feito com adolescentes, é um dado relevante sobre a relação entre a exposição a esses ambientes e o adoecimento mental que provavelmente será semelhante aos dados da população adulta. Se você fica conectado mais de três horas por dia, seu risco de adoecer é maior. Confira nos aplicativos quantas horas diárias você tem dedicado a eles. Some todas as suas redes. Caso ultrapasse o limite de três horas, reduza o uso.

Precisamos nos lembrar que os aparelhos eletrônicos emitem um tipo de energia, chamado luz azul, que altera o funcionamento do cérebro e pode prejudicar a atenção, a memória e até o sono. Além disso, sabemos que as próprias mídias sociais afetam, no longo prazo, o nosso padrão de resposta comportamental na vida real, tornando-nos viciados em curtidas

---

[1] Riehm, K. E. et al. "Associations between time spent using social media and internalizing and externalizing problems among US Youth", JAMA *Psychiatry*, 1º dez. 2019, n. 76 (12), p. 1266-73.

e respostas rápidas. Entramos, então, em um ciclo vicioso e doentio de cobrança por desempenho, produtividade ou busca da perfeição. Desse modo, um dos pontos mais práticos para melhorar o funcionamento biológico e emocional é a redução do tempo de exposição às mídias sociais.

AÇÃO

► Monitore por uma semana o uso das redes sociais.

Dia 1: _____

Dia 2: _____

Dia 3: _____

Dia 4: _____

Dia 5: _____

Dia 6: _____

Dia 7: _____

DICA 2: Exercite-se 15 minutos por dia

Muitas pessoas não têm a exata compreensão de que o exercício físico funciona no corpo como uma espécie de medicamento natural para a prevenção de diversos transtornos que acometem o cérebro. Exercitar-se é uma excelente estratégia para a redução da inflamação e do estresse. Estudos mostram que pessoas que têm essa prática apresentam menos risco de desenvolver depressão e ansiedade. Muitos cristãos, por espiritualizarem tudo, não dão o devido valor ao cuidado do corpo e à prática de atividade física. Ao serem negligentes, ampliam o risco adicional de várias doenças.

Qual é o mínimo de exercícios para que o corpo apresente melhores índices de saúde e tenhamos menor risco de mortalidade? De acordo com um estudo publicado em 2016 por pesquisadores de Taiwan, depois de avaliar quase 420 mil pessoas, o hábito de praticar exercícios durante 15 minutos (média de 92 minutos por semana, considerando um dia livre) reduziu em 14% o risco de mortalidade por todas as causas e aumentou a expectativa de vida em três anos.[2] É um dado impressionante, tendo em vista a pouca quantidade necessária para a redução de mortalidade.

_____

[2]Wen C. P. et al. "Minimum amount of physical activity for reduced mortality and extended life expectancy: a prospective cohort study", *Lancet*, 1º out. 2011, n. 378 (9798), p. 1244-53.

Outro artigo científico, publicado em 2022, liderado por um pesquisador da Universidade de Cambridge, apresentou dados de outros quinze estudos e chegou à conclusão de que praticar atividade física durante 150 minutos por semana com exercícios aeróbicos de intensidade moderada (como ciclismo, caminhada rápida, natação etc.) reduz o risco de depressão em pelo menos 25%.[3]

Se você quer melhorar a saúde mental, exercite-se. Cuidar do corpo também é cuidar da vida espiritual.

AÇÃO

► Monitore por uma semana as atividades físicas.

Dia 1: _____

Dia 2: _____

Dia 3: _____

Dia 4: _____

Dia 5: _____

Dia 6: _____

Dia 7: _____

DICA 3: Durma em média oito horas por dia

Dormir é fundamental para a saúde humana. Quando ficamos acordados além do devido, caminhamos a passos largos rumo a diversas doenças físicas e emocionais. Pessoas que dormem menos apresentam uma redução da expectativa de vida. Além disso, um estudo interessante publicado por pesquisadores japoneses mostrou que dormir menos de oito horas diárias (em média) aumentou de maneira significativa o risco de depressão e ansiedade em uma população de adolescentes.[4] Esse dado foi confirmado em adultos.[5]

Algumas pessoas têm menor necessidade de sono em relação à média; outras, maior.[6] Entretanto, a National Sleep Foundation afirma que a média

---

[3]Pearce, M. et al. "Association between physical activity and risk of depression", JAMA *Psychiatry*, 1º jun. 2022, n. 79 (6), p. 550-59.

[4]Ojio, Y. et al. "Sleep duration associated with the lowest risk of depression/anxiety in adolescents", 2016, n. 39 (8), p. 1555-62.

[5]"People who sleep less than 8 hours a night more likely to suffer from depression, anxiety", *ScienceDaily*, Binghamton University, 4 jan. 2018.

[6]Hirshkowitz, M. et al. "National Sleep Foundation's updated sleep duration recommendations: Final Report", *Sleep Health*, dez. 2015, n. 1 (4).

de tempo recomendado de sono diário, de acordo com as faixas etárias, obedece aos seguintes parâmetros:

- Recém-nascido (0 a 3 meses): 14 a 18 horas (aceitável de 11 a 19);
- Bebê (4 a 11 meses): 12 a 15 horas (aceitável de 10 a 18);
- 1 a 2 anos: 11 a 14 horas (aceitável de 9 a 16);
- 3 a 5 anos: 10 a 13 horas (aceitável de 8 a 14);
- 6 a 13 anos: 9 a 11 horas (aceitável de 7 a 12);
- 14 a 17 anos: 8 a 10 horas (aceitável de 7 a 11);
- 18 a 25 anos: 7 a 9 horas (aceitável de 6 a 11);
- 26 a 64 anos: 7 a 9 horas (aceitável de 6 a 10);
- 65 anos ou mais: 7 a 8 horas (aceitável de 5 a 9).

▶ Considerando esses estudos, você tem dormido o suficiente?

_____

Um dos passos mais simples para melhorar a saúde mental é dormir o número de horas adequado para a idade. Não podemos permitir que as tarefas diárias ou o excesso de trabalho roubem o nosso tempo de sono.

AÇÃO

▶ Monitore por uma semana as horas de sono.

Dia 1: _____
Dia 2: _____
Dia 3: _____
Dia 4: _____
Dia 5: _____
Dia 6: _____
Dia 7: _____

DICA 4: Faça jejum intermitente

O jejum é uma prática recomendada pelo próprio Jesus (Mateus 6:16-18). Conhecemos os benefícios espirituais da prática. Entretanto, muitos não sabem que jejuar também pode reduzir os riscos de depressão e ansiedade. Um estudo publicado em 2021 por pesquisadores franceses mostrou que a relação é muito significativa. A abstenção de alimentos contribuiu para a melhora de diversas variáveis relacionadas à saúde mental.[7]

A relação entre saúde mental e jejum intermitente é amplamente estudada. Esse tipo de jejum propõe intervalos de ausência total de alimentos de 12 a 18 horas por dia, em dias intercalados. Dessa forma, passamos uma parte significativa do dia, ou até mesmo um dia inteiro, sem alimentos.

Uma publicação do grupo da revista científica *Nature* analisou uma amostra de pacientes com depressão grave que não respondeu totalmente ao uso de antidepressivos.[8] Nesses, o antidepressivo não tinha levado ao que chamamos de remissão (uma resposta bem significativa dos sintomas depressivos). O estudo mostrou melhora dos sintomas depressivos e cognitivos nos pacientes que adotavam a prática do jejum. Abster-se de alimentos reduz a inflamação e os efeitos do estresse no nosso organismo, além de "limpar" o corpo e melhorar as funções cerebrais.

Entretanto, é importante enfatizar que, antes de iniciar a prática do jejum, você precisa saber como está a sua condição de saúde. Consulte o seu médico e nutricionista.

Jejuar é melhorar a saúde física e mental. Combine a disciplina espiritual com o jejum intermitente e tenha benefícios emocionais e espirituais na sua vida.

AÇÃO

▶ Depois de consultar o médico e o nutricionista, anote as horas de jejum na sua tabela por uma semana.

Data / horas em jejum: _____

Data / horas em jejum: _____

Data / horas em jejum: _____

Data / horas em jejum: _____

---

[7]Berthelot, E. et al. "Fasting interventions for stress, anxiety and depressive symptons", *Nutrients*, 5 nov. 2021, n. 13 (11), p. 3947.

[8]Stapel, B.; Fraccarollo, D.; Westhoff-Bleck, M. "Impact of fasting on stress systems and depressive symptoms in patients with major depressive disorder", 2022, n. 12, p. 7642.

DICA 5: Melhore a qualidade da alimentação

Sabemos que algumas dietas estão associadas a menores riscos de depressão. Além disso, o intestino é considerado o segundo cérebro. O que comemos pode ajudar a mente a funcionar melhor.

Ao se alimentar bem, o corpo absorve uma grande gama de micronutrientes e macronutrientes fundamentais para o funcionamento dos neurônios e para a produção de neurotransmissores. Como boa parte dos quadros depressivos e ansiosos se deve a inflamações crônicas, é possível reduzir essa condição com uma dieta balanceada.

Pesquisadores da Austrália publicaram um estudo, em 2017, que comparou um grupo de pacientes depressivos submetidos à dieta mediterrânea com outro que não foi orientado a seguir essa dieta.[9] Aplicou-se, então, um teste de depressão em todos e, após três meses, um terço dos pacientes submetidos à mudança dietética teve resposta em relação aos sintomas depressivos, contra 8% do outro grupo.

A dieta mediterrânea é basicamente composta por alto consumo de frutas, hortaliças (verduras e legumes), cereais, leguminosas (grão-de--bico, lentilha etc.), oleaginosas (amêndoas, azeitonas, nozes etc.), peixes, leite e derivados (iogurte, queijos etc.), vinho, azeite de oliva, entre outros. Adicionalmente, essa dieta é marcada pelo baixo consumo de carne vermelha, produtos industrializados e alimentos ricos em gordura e açúcar. É óbvio que a dieta está relacionada à cultura de um povo que a praticava originariamente. Contudo, se você quiser prevenir ou melhorar os sintomas emocionais, é fundamental procurar um nutricionista para melhorar a sua alimentação.

Comer melhor é cuidar do cérebro. A saúde cerebral começa pela saúde intestinal.

AÇÃO

▶ Monitore por uma semana a alimentação.

Dia 1: _____

_____

_____

---

[9]Jacka, F. N. et al. "A randomised controlled trial of dietary improvement for adults with major depression (the 'SMILES' trial)", *BMC Med.*, 30 jan. 2017, n. 15 (1), p. 23.

Dia 2: _____

_____

_____

Dia 3: _____

_____

_____

Dia 4: _____

_____

_____

Dia 5: _____

_____

_____

Dia 6: _____

_____

_____

Dia 7: _____

_____

_____

DICA 6: Vença o isolamento social

Dados da Organização Mundial da Saúde (OMS) mostraram que a recente pandemia aumentou em 25% a prevalência de depressão e ansiedade na população global.[10] Sabe-se que as causas se devem a muitos fatores. Entretanto, várias pesquisas médicas têm demonstrado que o isolamento social e a solidão aumentam o risco para essas doenças.[11]

Foi necessário um tempo de isolamento para o melhor controle da pandemia. Entretanto, não podemos continuar em isolamento nem deixar de nos conectar às pessoas. Isolar-se adoece. Percebemos que muitos pacientes, mesmo após o fim das medidas restritivas, continuam em isolamento social significativo ou não retomaram as atividades sociais como de costume. Quanto mais persistirmos nessa prática, mais adoecidos ficaremos. Estudos apontam claramente que isolamento social e solidão diminuem a expectativa de vida.[12]

---

[10]Disponível em: https://www.who.int/news/item/02-03-2022-covid-19-pandemic-triggers-25-increase-in-prevalence-of-anxiety-and-depression-worldwide.

[11]Evans, M.; Fisher, E. B. "Social isolation and mental health", jan. 2022, n. 58 (1), p. 20-40.

[12]Holt-Lunstad, J. et al. "Loneliness and social isolation as risk factors for mortality", *Perspect Psychol. Sci.*, 10 mar. 2015, n. 10 (2), p. 227-37.

Para ter saúde mental, é fundamental conectar-se com outras pessoas. Quem se isola adoece mais e vive menos.

AÇÃO

► Marque pelo menos um encontro social (com familiares ou amigos) para os próximos sete dias. Anote com quem, onde aconteceu e como foi.

_____

_____

_____

DICA 7: Tenha atividades de lazer e *hobbies*

Um dos grandes malefícios da espiritualidade tóxica é o ultrapassado pensamento de que *hobbies* ou atividades de lazer não devem fazer parte da vida cristã. Dessa forma, muitos cristãos não frequentam atividades culturais, nem têm *hobbies* saudáveis, tampouco fazem atividades prazerosas ao longo da semana além das realizadas na igreja. Essa forma de pensar e agir nos desumaniza e, com isso, deixamos de usufruir estratégias e práticas extremamente terapêuticas para a saúde mental. A ciência, porém, já apresentou muitas evidências de que essas práticas estão associadas, por exemplo, a menores riscos de depressão e ansiedade.[13]

► Você tem um *hobby*? Pratica alguma atividade prazerosa em sua rotina diária ou, ao espiritualizar tudo, ignora que elas agem como remédio para a sua saúde emocional? Se você não tiver um lazer, sugiro que se lembre do que gostava de fazer na infância (desenhar, pintar, montar quebra-cabeças, jogar bola etc.) e que experimente essa atividade novamente. Em seguida, anote como se sentiu.

_____

_____

_____

---

[13] (1)Pressman, S. D. et al. "Association of enjoyable leisure activities with psychological and physical well being", *Psychosom. Med.*, set. 2009, n. 71 (7), p. 725-32; Goodman, W. K.; Geiger, A. M.; Wolf, J. M. "Leisure activities are linked to mental health benefits by providing time structure: comparing employed, unemployed and homemakers", J. *Epidemiol. Community Health*, jan. 2017, n. 71 (1), p. 4-11. (2) Bone, J. K. et al. "Engagement in leisure activities and depression in older adults in the United States", *Soc. Sci. Med.*, fev. 2022.

PRÁTICA 3
ORAÇÃO

Senhor Jesus, hoje eu me aproximo de ti para obter sabedoria e graça a fim de cuidar adequadamente do meu corpo e das minhas emoções. Ensine-me a não espiritualizar tudo e a não negligenciar nenhuma área da minha vida. Eu te peço perdão por não cuidar adequadamente da minha saúde. Que a tua graça e o teu poder me ajudem a implantar hábitos que melhorem a minha qualidade de vida! Se necessário, procurarei ajuda profissional e tomarei atitudes práticas. Sairei do sedentarismo, abandonarei a má alimentação e o isolamento social. Que a tua misericórdia possa fazer com que em paz eu me deite e possa diariamente dormir seguro! Que, nos próximos dias, eu venha a experimentar mudanças no corpo e na mente como consequência da mudanças de hábitos. Amém.

DIA **13**

Jesus compreende a sua ansiedade

Por isso, vos digo: não andeis ansiosos pela vossa vida, quanto ao que haveis de comer ou beber; nem pelo vosso corpo, quanto ao que haveis de vestir. Não é a vida mais do que o alimento, e o corpo, mais do que as vestes? Observai as aves do céu: não semeiam, não colhem, nem ajuntam em celeiros; contudo, vosso Pai celeste as sustenta. Porventura, não valeis vós muito mais do que as aves? Qual de vós, por ansioso que esteja, pode acrescentar um côvado ao curso da sua vida? E por que andais ansiosos quanto ao vestuário? Considerai como crescem os lírios do campo: eles não trabalham, nem fiam. Eu, contudo, vos afirmo que nem Salomão, em toda a sua glória, se vestiu como qualquer deles. Ora, se Deus veste assim a erva do campo, que hoje existe e amanhã é lançada no forno, quanto mais a vós outros, homens de pequena fé? Portanto, não vos inquieteis, dizendo: Que comeremos? Que beberemos? Ou: Com que nos vestiremos? Porque os gentios é que procuram todas estas coisas; pois vosso Pai celeste sabe que necessitais de todas elas; buscai, pois, em primeiro lugar, o seu reino e a sua justiça, e todas estas coisas vos serão acrescentadas. Portanto, não vos inquieteis com o dia de amanhã, pois o amanhã trará os seus cuidados; basta ao dia o seu próprio mal. (Mateus 6:25-34, *Almeida Revista e Atualizada*)

Um cristão pode, ao longo da vida, apresentar três tipos de ansiedade: a ansiedade normal, a ansiedade patológica e a ansiedade que chamarei neste livro de "ansiedade-pecado". É muito importante diferenciá-las para que compreendamos que nem toda ansiedade é pecado e que Jesus nos enxerga individualmente com as nossas crises de ansiedade ou períodos longos de ansiedade patológica.

Antes de tudo, devemos compreender que a ansiedade é inerente à existência humana e pode ser benéfica. Sem ansiedade, não produzimos, não corremos atrás dos objetivos e não tomamos decisões de maneira correta e satisfatória. A ansiedade nos permite produzir mais e melhor.

A ansiedade pode ser benéfica.

Sentir ansiedade é comum. Imagine, por exemplo, alguém com dor de dente. A dor sinaliza que algo não está funcionando adequadamente no corpo, e isso o leva a ir ao dentista. A ansiedade normal é positiva e estimula nosso corpo a tomar decisões rápidas, precisas e produtivas. Estamos tão acostumados a enfatizar a ansiedade patológica que nos esquecemos de falar que existe uma forma de ansiedade benéfica.

Essa ansiedade, que chamarei de normal, é a reação própria do cérebro, que emite ordens para que o corpo libere as substâncias que aumentarão sua performance e produtividade. Assim, adrenalina, cortisol e outros agentes são injetados no organismo e atuam como verdadeiro energético natural, potencializando o funcionamento do cérebro.

Esse tipo de ansiedade se manifesta de maneira precisa e organizada nas situações cotidianas, sem nos darmos conta. Se você tiver um encontro amoroso, um discurso a fazer em público, uma prova, uma entrevista de emprego ou algum desafio, o cérebro aumenta o pulso da ansiedade normal para que você possa lutar, fugir ou tomar decisões de maneira mais produtiva e organizada. Da mesma forma, em um culto, antes de pregar ou orar, podemos ter pulsos de ansiedade sem que isso configure uma doença.

Assim, a ansiedade é um mecanismo de defesa e ajuste do cérebro. Nenhum ser humano vive adequadamente sem experimentá-la. Existem situações na psiquiatria (felizmente, raras) nas quais alguns pacientes não produzem essa ansiedade de forma apropriada. Nesses casos, tornam-se passivos ou letárgicos diante dos desafios da vida. Nascemos com o sistema biológico da ansiedade presente no cérebro, mas ele evolui e se aperfeiçoa ao longo da vida, sobretudo na primeira e na segunda infâncias (até os 7 anos).

Crianças não submetidas a doses adequadas de estresse, ou seja, as que são excessivamente protegidas, podem ter o sistema de ansiedade normal desenvolvido aquém do necessário. Quando acontece, tornam-se adultos com dificuldade de reagir diante dos desafios. Já as crianças que sofrem excessiva carga de estresse — como abuso, negligência, sofrimento exagerado — podem estimular o sistema de ansiedade normal além do necessário. Nesses casos, apresentam maior risco de desenvolver transtornos de ansiedade na idade adulta.

A ansiedade pode ter origem na infância.

Outro ponto importante sobre a diferenciação entre a ansiedade normal e a patológica é a genética. Como apresentei anteriormente, a ansiedade tem um fator hereditário relevante. Muitas pessoas nascem predispostas a ter mais ansiedade que outras. A "dose de ansiedade" que liberamos tendo em vista os estímulos da vida é modulada por genes. Ainda que não tenham rotina estressante, uma porcentagem da população pode apresentar ansiedade. Assim, a ansiedade não necessariamente precisa de motivos claros para se tornar patológica.

Compreender que a ansiedade é normal tira um grande peso da vida de quem anda com Deus e passa por um momento ansioso. Se a ansiedade pode ser benéfica, não podemos dizer que toda ansiedade é pecado, uma vez que ela tem efeito protetor e pode aumentar a produtividade.

Quando Jesus disse "Não andeis ansiosos", não se referia à ansiedade normal, mas à preocupação causada pela compreensão distorcida da vida que nos leva a não confiar na soberania e nos cuidados do Pai. Não entenda a ansiedade como algo ruim; da próxima vez que alguém disser que toda ansiedade é pecado, argumente que é fisiológica e que nascemos com um sistema biológico programado para experimentá-la.

Jesus sabe quais tipos de ansiedade um cristão pode ter.

O segundo tipo de ansiedade que devemos compreender é a ansiedade patológica, aquela que torna as pessoas doentes. Em geral, pacientes com ansiedade patológica sofrem de Transtorno de Ansiedade Generalizada (TAG) ou Transtorno do Pânico (TP). Entretanto, há uma grande diversidade de transtornos emocionais relacionados à ansiedade que fogem ao objetivo deste livro.

É importante entender a ansiedade patológica por vários motivos. Em primeiro lugar, para saber quando devemos procurar ajuda. Em segundo lugar, para não nos punirmos ou acharmos que estamos em pecado por sofrer de transtorno mental ansioso incapacitante. A ansiedade patológica tem caraterísticas nucleares. Devemos compreender que, ao contrário da ansiedade normal, a patológica piora a produtividade e rouba a qualidade de vida. A diferença entre a ansiedade normal e a patológica está sobretudo na dose e na duração das respostas ansiosas produzidas pelo cérebro.

A ansiedade normal é temporária e aumenta nossa produtividade em situações adversas. Nesse caso, sintomas como palpitações, perda de sono e alterações no apetite podem ser comuns, mas passam assim que a preocupação acaba. Em resumo, os sintomas duram pouco tempo. Já a ansiedade patológica prejudica a produtividade, impedindo-nos de viver as experiências de modo adequado e proporcional ao estímulo. Nesses casos, são comuns sintomas do tipo:

- Preocupação excessiva e persistente (com vários assuntos ou sem motivo claramente aparente).
- Sensação de "estar no limite" ou de que algo ruim pode acontecer a qualquer momento (viver em alerta).
- Fadiga, alterações no sono ou inquietação.
- Dificuldade para se concentrar.
- Irritabilidade e tensão.

Em síntese, a ansiedade patológica reduz nossa produtividade, leva-nos a hiperdimensionar as situações para pior, proporciona sofrimento exagerado sobre fatos que, na maioria das vezes, não acontecerão e nos deixa mais paralisados que ativos em busca de soluções. Não dura poucos dias nem cessa diante de estímulos externos, mas perdura por meses, rouba a produtividade e afeta a qualidade de vida.

Entretanto, a ansiedade considerada normal não é tida como um transtorno psiquiátrico, uma vez que tem duração limitada e não exige esforço intenso para ser controlada e superada. Por outro lado, quando ela se prolonga por muito tempo e é acompanhada por um turbilhão de pensamentos intrusivos e negativos, o corpo entende que você deve ficar em estado de alerta para se proteger daquilo que está por vir — mesmo que não seja real ou que você esteja vendo o cenário pior do que realmente é. Quando isso ocorre, falamos de ansiedade patológica.

Abordaremos dois tipos de ansiedade patológica bastante comuns: Transtorno de Ansiedade Generalizada (TAG) e Transtorno de Pânico (TP).

TRANSTORNO DE ANSIEDADE GENERALIZADA (TAG)

O TAG é um transtorno emocional crônico e também ocorre frequentemente em associação com a depressão. O principal sintoma é a preocupação excessiva e irreal ou a apreensão constante, acompanhada de diversos sintomas físicos. Mesmo sem motivo, o paciente não consegue deixar de se preocupar ou de apresentar tensões concernentes ao trabalho, à família, aos relacionamentos, à saúde ou a outras áreas da vida. Essa ansiedade não tem foco específico, o que é importante para o diagnóstico.

Além do nervosismo e da tensão emocional, ocorrem tremores, tensão muscular — constante dor na nuca e ombros—, cefaleia, palpitações, vertigens, transpiração, sensação de pressão ou de cabeça leve, queixas gastrointestinais inespecíficas, vontade constante de ir ao banheiro, insônia—normalmente, dificuldade para pegar no sono—, dificuldade de relaxar, irritabilidade e dificuldade de digestão. É muito comum a associação entre a Síndrome do Intestino Irritável e o TAG.

Emocionalmente, o paciente avalia as situações de forma negativa ou pessimista; apresenta, por exemplo, medo de ter alguma doença, de que algo ruim aconteça a pessoas próximas ou de perder o emprego. Pequenos problemas e demandas do dia a dia se tornam fonte de ansiedade.

O quadro, se não for tratado, pode durar anos e causar prejuízos significativos para a qualidade de vida, o trabalho e os relacionamentos. O paciente gasta energia emocional com a ansiedade patológica, o que conduz à perda de produtividade em todos os aspectos do cotidiano. Além disso, a somatização de doenças faz que o doente frequentemente realize vários exames desnecessários.

A seguir, apresento os critérios diagnósticos de TAG e TP segundo o DSM-V (Diagnostic and Statistical Manual of Mental Disorders, Manual de Diagnóstico e Estatístico de Transtornos Mentais). O número V — cinco em numerais romanos — representa a edição do manual, ou seja, está na quinta edição. O DSM é um guia prático que apresenta todas as características e os sintomas dos transtornos mentais mais comuns. Foi desenvolvido pela Associação Americana de Psiquiatria, que reúne os principais pesquisadores de transtornos mentais do mundo. A maior parte das pesquisas médicas usa o DSM como padrão.

CRITÉRIOS DIAGNÓSTICOS DE TAG, DSM-V

O Transtorno de Ansiedade Generalizado caracteriza-se por ansiedade e preocupação excessivas em relação a diversas atividades ou aos eventos presentes na maioria dos dias por mais de seis meses.

O diagnóstico é clínico e baseia-se nos seguintes critérios:

1. Ansiedade e preocupações excessivas sobre algumas atividades ou alguns eventos.

2. Os pacientes têm dificuldade para controlar as preocupações, que ocorrem por mais de seis meses. As preocupações também devem ser associadas a três ou mais dos seguintes sintomas:

- agitação ou sensação de nervosismo ou tensão;
- cansaço fácil;
- dificuldade de concentração;
- irritabilidade;
- tensão muscular;
- alterações do sono.

TRANSTORNO DE PÂNICO

O Transtorno de Pânico é um tipo de transtorno de ansiedade no qual ocorrem crises repentinas de ansiedade, desespero e medo de que algo ruim aconteça, mesmo que não haja motivo algum para isso ou sinais de perigo iminente. Há uma sensação de sufocamento, medo de morrer ou de perder o controle.

As crises de pânico (medo) são sempre inesperadas. Podem acontecer em um momento em que o paciente esteja repousando e tranquilo no sofá de casa. Com o tempo, os ataques se repetem com mais frequência e o paciente se preocupa com a possibilidade de ter novas crises. Como consequência, passa a evitar algumas situações por medo de perder o controle, enlouquecer ou ter um novo ataque. Deixa de ir a lugares fechados ou cheios, foge de engarrafamentos, elevadores etc., com medo de ter uma crise e não conseguir socorro. Desenvolve agorafobia.

Os sintomas mais comuns de uma crise de pânico são taquicardia (coração acelerado), sensação de falta de ar e sufocamento, tremores, formigamentos, vertigens, transpiração, náusea, dor abdominal, onda de calor ou de frio, aperto ou dor no peito, medo de morrer ou de ficar louco e sensação de perda de controle mental ou de que se está desconectado da realidade. Os ataques normalmente duram alguns minutos. Raramente são mais longos. Como se parecem muito com os sintomas cardíacos ou gástricos, é comum o paciente, durante a crise, ir a um pronto atendimento achando que está tendo um infarto, derrame ou problema intestinal. O indivíduo com pânico apresenta exagerada preocupação de estar com alguma doença grave ou de ter um problema cardíaco ou pulmonar, o que gera grande sofrimento psíquico.

CRITÉRIOS DIAGNÓSTICOS DE TRANSTORNO DE PÂNICO (TP), DSM-V

1. Ataques de pânico recorrentes e inesperados. Um ataque de pânico é um surto abrupto de medo intenso ou desconforto intenso que alcança um pico em minutos e durante o qual ocorrem quatro ou mais dos seguintes sintomas:

Nota: o surto abrupto pode ocorrer de um estado calmo ou de um estado ansioso.

- palpitações, coração acelerado, taquicardia;
- transpiração;
- tremores ou abalos;
- sensação de falta de ar ou sufocamento;
- sensações de asfixia;
- dor ou desconforto torácico;
- náusea ou desconforto abdominal;
- sensação de vertigem, instabilidade, tontura ou desmaio;
- calafrios ou ondas de calor;
- parestesias (anestesia ou sensações de formigamento);
- desrealização (sensações de irrealidade) ou despersonalização (sensação de estar distanciando-se de si mesmo);
- medo de perder o controle ou "enlouquecer";
- medo de morrer.

2. O paciente precisa apresentar pelo menos um dos ataques, seguido de um mês (ou mais) de uma, ou de ambas, das seguintes características:

- Apreensão ou preocupação persistente acerca de ataques de pânico adicionais ou de suas consequências (p. ex., perder o controle, ter um ataque cardíaco, enlouquecer).

- Uma mudança desadaptativa significativa no comportamento relacionada aos ataques (p. ex., comportamentos que têm por finalidade evitar ter ataques de pânico, como a esquiva de exercícios ou situações desconhecidas).

O QUE JESUS REALMENTE DISSE SOBRE A ANSIEDADE

Em primeiro lugar, quando Jesus disse: "Não andeis ansiosos", não se dirigia especificamente a pessoas com TAG, TP ou outros transtornos ansiosos, mas a todos. Ele mostra o caminho a ser vivido diante das preocupações da vida, que certamente surgirão. O objetivo do Senhor não era fazer um tratado de psiquiatria. Dessa forma, o texto de Mateus não deve ser usado para dizer a alguém com transtorno ansioso que a pessoa está em pecado, que tem pouca fé ou não está em comunhão com Deus. O Mestre compreende exatamente a ansiedade normal, a patológica e a atitude persistente de não crer no cuidado de Deus.

Ao olhar para um paciente diagnosticado com ansiedade, Jesus o acolhe com a mesma compaixão que demonstrou nas curas realizadas em seu ministério terreno. Ele compreende claramente que os sintomas ansiosos são oriundos de enfermidades que afetam o cérebro, não porque o paciente não tenha fé. Jesus sabe separar as duas realidades.

Jesus é o maior neurocientista que já pisou na terra.

O Senhor tem todo o conhecimento de neurociências e do comportamento humano que a medicina jamais terá. Se um médico ou um cientista sabe que crises de pânico ou ansiedade crônica são processos neurobiológicos do cérebro, é inimaginável pensar que o Filho não saiba. Esse fato é essencial porque alguns líderes religiosos constantemente afirmam que toda ansiedade é fruto de pecado. Como resultado, ocasionam sofrimento emocional significativo para muitas pessoas.

O paciente ansioso já convive com a falta de controle sobre os seus sintomas. A própria ansiedade também tenta constantemente diminuir a fé. Cristo, com seu coração amigável e compassivo, escuta e observa o ansioso para demonstrar-lhe infinita misericórdia. Ele compreende a dificuldade de controlar os sintomas durante as crises e sabe que a ansiedade prejudica a identidade espiritual. Além disso, entende perfeitamente o coração de cada doente que crê nos princípios cristãos, ainda que a enfermidade afete o físico e o emocional com sintomas que, muitas vezes, fogem ao controle.

Portanto, se você estiver com ansiedade, não pense que isso significa que você não tem fé ou não confia em Deus. É a ansiedade que faz você ver o mundo pior do que ele é, sofrer antecipadamente e preocupar-se exageradamente com o futuro. Tanto a ansiedade normal quanto a patológica não são sinônimo de pecado.

Obviamente, as escolhas, os pecados, a quebra de princípios espirituais (como o descanso), os vícios e determinados comportamentos podem ser causadores de ansiedade. Se o TAG é um transtorno mental, não podemos ignorar que, em alguns casos, atitudes pecaminosas contribuíram para que se desenvolvesse. A resposta de Jesus para o pecado não é aumentar a culpa ou promover punição, mas o perdão, o acolhimento e a possibilidade de recomeço. O Senhor confronta o pecado para nos curar e salvar.

O que, então, o Mestre quer nos ensinar sobre ansiedade e pecado no capítulo 6 de Mateus?

Inicialmente, temos de compreender que a expressão "não andeis ansiosos" é mais bem traduzida por "não se preocupem". Versões bíblicas como a *Nova Versão Internacional* e a *Nova Almeida Atualizada* traduzem dessa forma. Creio que seja a forma mais clara de compreendermos o que Cristo, de fato, disse.

Ele se referia a todos nós e à nossa constante luta contra o pecado de não confiar na providência divina. A ansiedade-pecado — preocupação com a vida — desvia o nosso olhar do Pai e o direciona para os problemas e as circunstâncias. Muitas vezes, a preocupação é um ato de descrença no amor divino, pois não confiamos que ele seja capaz de nos dar diariamente aquilo de que precisamos. O estado permanente de desconfiança pode, no longo prazo, desencadear o surgimento de transtornos ansiosos. Conhecer o significado da providência divina é um grande ansiolítico espiritual para todo cristão.

Os versículos 25 e 26 dizem: "Portanto eu lhes digo: Não se preocupem com sua própria vida, quanto ao que comer ou beber; nem com seu próprio corpo, quanto ao que vestir. Não é a vida mais importante que a comida, e o corpo mais importante que a roupa?" (Mateus 6: 25-26, NVI).

Jesus nos adverte a não nos mantermos em constante estado de preocupação, ou seja, para não nos preocuparmos demasiadamente com as coisas materiais, porque o Pai sabe aquilo de que precisamos. Não significa que não devemos ter uma reserva financeira ou que não tenhamos de trabalhar para ter provisão, mas que, ao permanecermos apreensivos com o futuro, negligenciamos o cuidado de Deus a respeito do que precisamos para viver hoje. A providência divina nos ensina a focar no que precisamos para hoje.

Não deixe a ansiedade ser uma porta aberta para ídolos no seu coração.

A ansiedade leva constantemente a pessoa a ter o coração nas coisas passageiras e materiais, desviando o olhar do que é espiritual e realmente importa. Essa preocupação exagerada em relação ao que ainda vai acontecer pode nos levar a ter ídolos no coração. Podemos fazer do trabalho, da gestão do tempo ou até da família um ídolo. Ao pensar que, apenas com o nosso esforço, obteremos os resultados desejados, trocamos o Pai pela força humana, pelas habilidades ou pelo trabalho, e isso é idolatria.

A vida é mais importante do que conquistas materiais (até mesmo comida e roupas), e devemos constantemente nos confrontar em relação a isso. Os maiores ídolos estão sendo construídos no nosso coração, e a ansiedade é um dos tijolos da obra. Se o Senhor nos deu um corpo rico feito à imagem e semelhança dele, não deixará faltar nada para o nosso cuidado diário. Correr atrás das coisas materiais de maneira desenfreada pode evidenciar falta de confiança plena em Deus e na providência dele. Como disse anteriormente, Jesus não julgou as pessoas adoecidas. Contudo, de certa forma, a maioria absoluta da população não tem ansiedade patológica e, mesmo assim, segue sem fé na provisão divina.

Em Mateus 6:27, Jesus continua nos ensinando: "Quem de vocês, por mais que se preocupe, pode acrescentar uma hora que seja à sua vida?" (NVI). Por mais que fiquemos ansiosos, não é possível acrescentar uma hora sequer à nossa vida. A nossa preocupação não mudará o amanhã; somente nos prenderá a um futuro que não controlamos. Gastaremos energia física e emocional com fatos que, na maioria das vezes, nunca ocorrerão. Trata-se apenas de construções ansiosas da mente. Sofreremos desnecessariamente por preocupações sem sentido algum. Os nossos dias estão escritos e determinados por Deus, que sabe o dia da nossa morte e controla todo o processo.

Como nossa vida está nas mãos do Pai, devemos compreender que a preocupação exagerada apenas faz que sobrecarreguemos o cérebro e nos condicione a um estado de alerta permanente e desnecessário. Nesse caso, a falta de confiança de que o Senhor controla a nossa existência pode, no longo prazo, nos fazer desenvolver transtornos ansiosos.

Vejamos as aves. Elas não fazem planejamento algum para o futuro, não semeiam nem colhem. Vivem dia após dia e são mantidas pelo cuidado divino. Se andarmos com Cristo e cumprirmos os propósitos dele, ele não permitirá que nos falte coisa alguma. Da mesma forma, Jesus nos ensina a observar os lírios do campo, que não trabalham nem tecem, mas estão vestidos com grande beleza e de maneira sobrenatural.

> A ansiedade não é pecado na maioria das vezes, mas o pecado pode, sim, causar indiretamente ansiedade.

Se a Criação recebe tanto cuidado e carinho, o Pai não cuidaria ainda mais de nós, os filhos feitos à imagem e semelhança dele? Ele alimenta as aves, veste os lírios e cuidará de nós, mesmo com a nossa pequena fé.

No trecho: "Portanto, não se preocupem, dizendo: 'Que vamos comer?' ou 'Que vamos beber?' ou 'Que vamos vestir?' Pois os pagãos é que correm atrás dessas coisas; mas o Pai celestial sabe que vocês precisam delas" (Mateus 6:31-32). Jesus nos provoca para que não vivamos conforme impõe este mundo.

> A preocupação excessiva pode ser reflexo da cultura materialista que vivemos.

Na sociedade do consumo, os bens materiais definem as pessoas. Nas últimas décadas, a felicidade tem sido associada a padrões de consumo que tornam a nossa satisfação cada vez mais dependente do que é material. Dessa forma, movidos pelo consumo desenfreado e pela busca da felicidade a todo custo, entramos em um estilo de vida que somente aumenta a nossa ansiedade. A felicidade está associada à aquisição, mas o processo de buscá-la nos torna cada vez mais tristes e ansiosos.

Jesus nos desafia a não ser "como os pagãos" e a não seguir o curso deste mundo. Devemos viver na contracultura que crê no Deus capaz de nos proporcionar diariamente aquilo de que precisamos. A vida com o Senhor nos arrebata do consumismo e da idolatria das coisas. Somos convocados a buscar um caminho mais excelente.

Na última parte do texto, lemos: "Pois os pagãos é que correm atrás dessas coisas; mas o Pai celestial sabe que vocês precisam delas. Busquem, pois, em primeiro lugar o Reino de Deus e a sua justiça, e todas essas coisas lhes serão acrescentadas" (Mateus 6:32-34). Por fim, ao falar sobre as preocupações exageradas da vida, Cristo nos permite ter dois tratamentos eficazes. Ele não apenas faz o diagnóstico, como também dá o remédio para a cura da ansiedade. Vejamos o caminho proposto por ele.

O primeiro passo é compreender verdadeiramente que o Pai celestial sabe exatamente do que precisamos para viver no dia a dia. Parece simples, mas não é. Exige fé persistente e conhecimento progressivo do caráter divino.

Lembro-me de que, certa vez, eu queria atravessar uma rua movimentada com um dos meus filhos. Carros vinham em alta velocidade, e eu percebi resistência e medo de atravessar na pequena menina. Em certo momento, eu lhe disse que era seguro. Confiante, ela atravessou a rua segurando firmemente na minha mão. Sabe por que ela confiou em mim? Porque conhecia o pai que tinha e sabia que eu a conduziria em segurança.

A resposta para Jesus ao ansioso não é uma recriminação que o deixa mais estressado e angustiado. Ele não quer deixar o paciente pior do que já se sente. Contudo, convida-nos a entender que o coração dele sabe de todas as necessidades dos filhos, o que é um grande remédio para a ansiedade.

Conhecer o coração de Deus é o primeiro remédio para a ansiedade.

Por meio da oração perseverante, conheceremos cada vez mais o coração do Pai e teremos não apenas convicção teórica do cuidado dele. Os afetos, sentimentos e amor divinos nos serão revelados, de modo que a paz de Deus, que excede todo entendimento, progressivamente nos acalmará o coração. Atravessaremos as ruas movimentadas da vida sem tanto medo ou ansiedade. O apóstolo Paulo nos diz que a oração é uma das chaves para vencer a ansiedade: "Não andem ansiosos por coisa alguma, mas em tudo, pela oração e súplicas, e com ação de graças, apresentem seus pedidos a Deus" (Filipenses 4:6).

É um processo. Paulo sabia que todos podemos ter ansiedade e nos orienta, movido pelo Espírito, a não viver em constante ansiedade, para que ela não domine ou controle nossa vida. A pergunta crucial: Como fazer isso? A resposta é: orando, sendo grato e apresentando os nossos pedidos a Deus.

Preocupar-se com o Reino de Deus é o segundo remédio para a ansiedade.

A segunda prescrição de Jesus para o ansioso é: compreenda que, se buscarmos e cuidarmos das coisas do Pai celestial, ele cuidará de todas as outras necessidades. Aqui há uma grande promessa. Se buscarmos o Reino de Deus e a justiça divina, ele promete acrescentar tudo o que precisarmos.

R.C. Sproul, em seu livro *Estudos bíblicos expositivos em Mateus*, aprofunda o entendimento desse versículo tão sublime:

No versículo que provavelmente representa o auge do discurso, Jesus oferece a alternativa à preocupação com a vida. Este versículo talvez seja o mais importante de todo o Sermão do Monte. Jesus não nos diz para esquecermos nossas preocupações, mas, em vez disso, para focarmos nossas preocupações e nossos pensamentos no Reino de seu Pai. Todas as coisas que nos forem acrescentadas serão consequência de canalizarmos nossos desejos em seu Reino. A força dessa ordem encontra-se na palavra *primeiro*. Ela vem do vocábulo grego *prōtos*, que, aqui, não indica o primeiro elemento de uma série cronológica. Em outras palavras, Jesus não está dizendo que devemos buscar o Reino em primeiro lugar, as roupas em segundo, a casa em terceiro e assim por diante. Em vez disso, ele está falando de prioridades. Jesus está dizendo que o mais importante que podemos fazer é buscar o Reino do Pai e sua justiça. Direcione seu coração a isso, e tudo o mais cuidará de si. A prioridade número um do cristão é buscar o Reino de Deus.[1]

Para que isso ocorra, a vontade de Deus e o Reino dele no nosso coração devem ser nossas prioridades de vida e nortear nossa existência. Jesus nos ensinou a orar, dizendo: "Venha o teu Reino; seja feita a tua vontade", antes de "dá-nos hoje o nosso pão de cada dia". Devemos primeiro pedir ao Pai que a justiça, o governo e a vontade dele nos impregnem a ponto de contaminar toda a nossa experiência existencial.

Quanto mais nos submetermos a esse princípio, menos ansiedade teremos. O Senhor cuidará de todas as nossas necessidades. É uma promessa de cura progressiva.

Ao aprender esses princípios, conseguimos finalmente não viver presos ao cárcere do futuro, no qual a ansiedade nos aprisiona. O mal certamente aparecerá no horizonte, mas a ansiedade será vivida de maneira proporcional a cada instante. Teremos inúmeros momentos de ansiedade ao longo da vida, o que é humano. Entretanto, Jesus nos prometeu cuidar de tudo. Creiamos nessa promessa!

REFLEXÃO

Jesus sabe que nem toda ansiedade é pecado.

---

[1] Sproul, R. C. *Estudos bíblicos expositivos em Mateus*. 1. ed. Trad. Giuliana Niedhardt Santos. São Paulo: Cultura Cristã, 2017, p. 159.

VERSÍCULO PARA MEDITAR

Não andem ansiosos por coisa alguma, mas em tudo,
pela oração e súplicas, e com ação de graças, apresentem
seus pedidos a Deus. (Filipenses 4:6)

DIA 14

Confronte os pensamentos ansiosos

Como vimos, é normal sentir ansiedade e medo. O nosso cérebro foi programado para ter essas sensações. Entretanto, devemos separar os pensamentos ansiosos normais dos irreais. Estatisticamente, mais de 90% dos pensamentos ansiosos que temos não têm nenhuma chance de acontecer. São apenas construções da mente amplificadas pela ansiedade.

Imagine que eu vá pregar em uma igreja. A ansiedade normal acontecerá por eu estar em um ambiente no qual as pessoas não me conhecem e por eu querer seguir a orientação divina da melhor maneira. Essa ansiedade me ajudará a manter a concentração e a ter energia para pregar. Se, porém, eu tiver um medo enorme de que as pessoas não gostem do meu jeito de vestir, do meu tom de voz, ou de que não aceitem que um médico pregue, provavelmente eu pensaria que não sou a pessoa mais bem preparada para estar lá e suba ao púlpito com pânico de pegar o microfone. Trata-se de um medo irracional gerado por um estado patológico de ansiedade.

PRÁTICA 1
IDENTIFIQUE ALGUMAS SITUAÇÕES QUE CAUSAM ANSIEDADE EM VOCÊ HOJE

► Escreva até seis situações ou pensamentos que estejam causando ansiedade em você.

_____

_____

_____

_____

_____

_____

_____

_____

_____

_____

_____

_____

_____

PRÁTICA 2

Na tabela a seguir, use os seis itens anteriores como base. Na primeira coluna, escreva qual é o melhor cenário diante da situação/do pensamento ansioso. Na segunda, o pior cenário. Na terceira, dê uma nota de 0 a 10 sobre qual é a probabilidade de o fato se concretizar. Siga o meu exemplo, tendo em mente que um dos passos simples para vencer pensamentos ansiosos é confrontá-los com cenários mentais que nos mostrem a real dimensão do problema.

O MELHOR CENÁRIO	O PIOR CENÁRIO	A CHANCE REAL DE ACONTECER, DE 0 A 10
Viajar de avião é algo extremamente seguro e eu não deveria ter medo	O avião cair	0
Consigo trabalhar e não faltará nada para os meus filhos	Tenho um medo enorme de eles não terem uma profissão no futuro	2

128 PSIQUIATRIA E JESUS

PRÁTICA 3
ORAÇÃO

▶ Escolha as duas situações que geram maior angústia em você e escreva uma oração para cada uma delas. Peça que Jesus intervenha.

Oração 1

_____

_____

_____

Oração 2

_____

_____

_____

_____

_____

_____

_____

PRÁTICA 4
ORAÇÃO

Senhor Jesus, entrego a ti as minhas ansiedades. Sei que tu, Senhor, não me culpas por senti-las e não me condenas por abrigar sentimentos que não tenho conseguido controlar. São muito mais fortes do que eu. Creio no teu poder. Submeto todos os meus pensamentos ansiosos a ti, Senhor, certo de que controlas todas as coisas e sabes o que é melhor para mim. Peço ajuda para a minha falta de fé e para as minhas oscilações emocionais. Sonda o meu coração e vê o que me angustia, pois nem eu consigo saber. Faz uma varredura na minha mente por meio do teu Espírito, para que a paz que só tu podes dar esteja no meu íntimo. Permite que eu tenha a mente em paz e que eu consiga organizar os meus pensamentos. Neste dia, eu digo aos pensamentos ansiosos que eles não podem me dominar pelo poder do teu nome. Que a cada manhã as tuas misericórdias se renovem e eu possa descansar em ti. Amém.

PRÁTICA 5
ORE A PALAVRA

Leia o salmo 91 e faça esta oração:

Senhor Deus, sei que posso me assentar na tua presença e descansar debaixo da tua sombra. O Senhor é o meu Deus, o meu refúgio. Posso confiar que

| 130   PSIQUIATRIA E JESUS

estou seguro em ti. Tu me proteges das armadilhas e me defendes dos perigos mortais. Os teus braços são como um escudo sobre mim e estou protegido por eles. Sei que não me deixarás ferido. Não preciso ter medo de nada, nem dos assaltos à noite, nem das flexas que voam de dia. Também creio que tu, Senhor, tens o controle sobre a doença que ronda a escuridão e sobre os desastres que acontecem de dia. Todos os meus dias estão nas tuas mãos. Ainda que muitos morram à minha volta e caiam ao meu lado, eu não sofrerei nenhum arranhão que fuja do teu controle. Tu és poderoso, e eu te louvo por isso. Sei que sou teu protegido e, de longe, verei teu cuidado até para com aqueles que me desejam o mal. Sei disso porque tu, Senhor, és meu refúgio e meu abrigo. O mal não conseguirá chegar perto de mim e da minha família; a iniquidade não passará na minha porta. Tu ordenas aos anjos que me guardem em todos os meus caminhos. Se eu tropeçar, eles me segurarão. O trabalho deles é evitar que eu caia. Eu caminharei tranquilo entre leões e cobras; pisarei neles e nada me acontecerá. Que eu possa caminhar tranquilo em meio às ansiedades da minha vida. Eu me apego à tua vida, Senhor, e peço que me tires de todos os problemas. Ensina-me a confiar em ti de todo o coração. Sei que cuidas de tudo. Sei que estás comigo nos momentos ruins e me proteges. Sei que controlas os meus dias, que podes me dar vida longa e me mostrar o caminho da salvação. Amém.

PRÁTICA 6
MEDITAÇÃO

Leia e ore o salmo 121.

▶ Qual área da sua vida precisa de socorro hoje?

_____

_____

_____

Levanto os meus olhos para os montes e pergunto:
De onde me vem o socorro?
O meu socorro vem do Senhor,
que fez os céus e a terra.
Ele não permitirá que você tropece;
o seu protetor se manterá alerta,

sim, o protetor de Israel não dormirá;
ele está sempre alerta!
O Senhor é o seu protetor;
como sombra que o protege, ele está à sua direita.
De dia o sol não o ferirá; nem a lua, de noite.
O Senhor o protegerá de todo o mal, protegerá a sua vida.
O Senhor protegerá a sua saída e a sua chegada,
desde agora e para sempre. (Salmos 121:1-8)

DIA 15

Jesus compreende a sua depressão

Disse-lhes então: "A minha alma está profundamente triste, numa tristeza mortal. Fiquem aqui e vigiem comigo." (Mateus 26:38)

"Existe depressão na Bíblia?" é uma pergunta que ouço com frequência. Como eu disse anteriormente, o propósito das Escrituras não é ser um tratado de psiquiatria ou psicologia. Todavia, podemos perceber em várias personagens bíblicas sintomas depressivos proeminentes. Muitos apresentaram tristeza extrema, vontade de desistir e até pensamentos de morte. Infelizmente, não será possível abordar neste capítulo todas as personagens bíblicas que passaram por sintomas depressivos. Falarei um pouco sobre os profetas Elias e Jeremias. Depois, sobre Jesus.

Escolhi esses dois profetas para falar sobre depressão com a intenção de mostrar como homens amplamente usados por Deus passaram por momentos depressivos intensos.

> Vários homens de Deus passaram por momentos depressivos.

Temos uma visão que, muitas vezes, é deturpada. Acreditamos que um cristão genuíno não tem depressão ou que alguém que serve ao Senhor com integridade nunca terá pensamentos de morte. O testemunho de Elias e Jeremias nos mostra o contrário. Ao longo da história da Igreja, vários homens e mulheres usados pelo Pai também tiveram depressão, como o famoso pregador Charles Spurgeon.

Nas Escrituras, o Criador fez questão de não esconder os relatos depressivos, de modo que aprendamos que estamos sujeitos às crises emocionais na caminhada cristã. A depressão, assim como a ansiedade, na maioria das vezes não é causada pelo pecado nem é indício de falta de fé. É obvio que não encontraremos a palavra "depressão" na Bíblia, porque os sintomas depressivos eram vistos de outra maneira naquela época. Entretanto, é possível observar atentamente os sentimentos e as expressões de homens de Deus profundamente tristes, que estavam sujeitos às mesmas paixões que nós (Tiago 5:17).

O primeiro relato bíblico que vamos explorar é o do profeta Elias, em 1Reis 19. Ele nasceu em uma cidade pequena. Era um homem simples e excêntrico que andava com um cinto de couro característico e passava a maior parte do tempo no deserto. Foi um dos homens mais usados por Deus na história de Israel, cuja vida foi marcada por múltiplos milagres, além de ser visto por todos como um profeta respeitado.

Em 1Reis 18, o ministério de Elias atinge o auge. Os profetas de Baal, deus pagão, desafiaram o Senhor para saber qual era o Deus verdadeiro. Elias estava sozinho, mas foi usado pelo Criador para exterminar os profetas idólatras. Por intermédio dele, o Senhor eliminou os profetas do falso deus, e Israel experimentou um grande avivamento espiritual. Se isso não fosse o bastante, por três anos e meio não choveu. Elias subiu ao monte para orar, e o Criador o usou para prever e intervir no clima. Ele profetizou e veio uma grande chuva sobre a terra. Não há, no Antigo Testamento, um profeta com tantos milagres realizados quanto ele.

Entretanto, em 1Reis 19, vemos um homem com emoções totalmente diferentes das anteriores. Se, até o capítulo 18 do livro de 1Reis, Elias era intenso e confiante, no capítulo 19 podemos perceber o profeta com sintomas claramente depressivos. As Escrituras dizem que, depois de ser ameaçado de morte pelo rei Acabe e por sua esposa, Jezabel — rei e rainha idólatras enfurecidos com Elias por ele ter matado os profetas de Baal —, Elias fugiu para o deserto, assentou-se debaixo de uma árvore, teve pensamentos suicidas e pediu a Deus que o levasse:

> Elias teve medo e fugiu para salvar a vida. Em Berseba de Judá ele deixou o seu servo e entrou no deserto, caminhando um dia. Chegou a um pé de giesta, sentou-se debaixo dele e orou, pedindo a morte: "Já tive o bastante, Senhor. Tira a minha vida; não sou melhor do que os meus antepassados". (1Reis 19.3,4)

O relato de Elias é extremamente importante porque é uma amostra de como muitos cristãos experimentam ideação suicida. Alguns tendem a expressar pensamentos suicidas pedindo ao Senhor, em oração, para levá-los desta vida ou clamam que ele permita uma enfermidade ou um acidente que os mate de maneira natural. Elias claramente apresentou desejos de morte depois de fugir. Tomado pela depressão, pensou em desistir e manifestou claramente isso ao Criador.

A Palavra não mostra o profeta em pecado, tampouco como homem sem fé; muito menos como alguém que não orava o suficiente. O testemunho de Elias joga por terra muitos dos ensinamentos errados vistos nas igrejas sobre a depressão.

> Se homens com tantas experiências com Deus passaram por depressão, você pode passar também.

Por enfrentar um episódio depressivo, muitos talvez tenham escutado que não têm fé, que não oram o suficiente, que estão em pecado ou que nunca tiveram uma experiência real com Deus. Definitivamente, a Bíblia não corrobora esse diagnóstico. A depressão faz que muitos apresentem quadros de medo, angústia, frustração, baixa autoestima e isolamento, mesmo sendo cristãos com experiências poderosas e profundas com o Criador ao longo da vida. Elias viveu tudo isso e, tomado pelo medo, pelo sentimento de solidão e por se achar inútil ("não sou melhor do que os meus antepassados"), pediu ao Senhor que o levasse.

Todos podem apresentar sintomas emocionais graves. Ser chamado por Deus e ter um ministério, nada disso faz de alguém um super-homem. Ao contrário, continuamos sendo frágeis seres humanos e temos de enfrentar batalhas avassaladoras.

Outro relato marcante é o do profeta Jeremias, que foi usado pelo Senhor de maneira impressionante e que também pensou em desistir.

Quando o sacerdote Pasur, filho de Imer, o mais alto oficial do templo do Senhor, ouviu Jeremias profetizando essas coisas, mandou espancar o profeta e prendê-lo no tronco que havia junto à porta Superior de Benjamim, no templo do Senhor.

[...] "Senhor, tu me enganaste, e eu fui enganado; foste mais forte do que eu e prevaleceste. Sou ridicularizado o dia inteiro; todos zombam de mim.

[...] Maldito seja o dia em que eu nasci! Jamais seja abençoado o dia em que minha mãe me deu à luz! Maldito seja o homem que levou a notícia a

JESUS COMPREENDE A SUA DEPRESSÃO **135**

meu pai e o deixou muito alegre quando disse: "Você é pai de um menino!".
Seja aquele homem como as cidades que o Senhor destruiu sem piedade.
Que ele ouça gritos de socorro pela manhã e gritos de guerra ao meio-dia;
mas Deus não me matou no ventre materno nem fez da minha mãe o meu
túmulo, e tampouco a deixou permanentemente grávida. Por que saí do
ventre materno? Só para ver dificuldades e tristezas, e terminar os meus
dias na maior decepção?" (Jeremias 20:1-2, 7, 14-18)

Conhecido como o "profeta chorão", Jeremias era extremamente resiliente e viveu a fé no limite, ao contrário do que seu apelido possa indicar. Foi um pregador ousado e persistente, e serviu a Deus em uma época de grande esfriamento espiritual em Israel. Tinha a dura missão de dizer ao povo que a vida deles longe do Criador e a espiritualidade totalmente hipócrita que praticavam os levariam ao exílio, o que, de fato, posteriormente aconteceu, quando os babilônios invadiram Jerusalém.

Entretanto, apesar de ser um profeta consagrado, os maiores inimigos de Jeremias eram os sacerdotes da época. Naquele tempo, a religião era corrupta e seus representantes cometiam diversos pecados. A opressão ao pobre, a ausência de zelo pelas coisas espirituais, a idolatria, a imoralidade e o excesso de corrupção marcaram aquele tempo. A Bíblia nos mostra que Jeremias, depois de entregar uma profecia de Deus ao povo, foi duramente espancado e colocado em um tronco durante o dia todo. A ordem partira do chefe dos oficiais do templo naquela época, Pasur.

É um engano achar que, pelo fato de servirmos a Jesus, estamos imunes da dor, da humilhação e até de sofrimentos indizíveis. Se lermos com

> A depressão pode fazer que você queira desistir de seu ministério.

atenção o livro de Jeremias e, sobretudo, o livro de Lamentações, também de sua autoria, veremos em várias passagens que o profeta foi consumido por várias emoções. Ele sentia, no corpo e no coração, a dor de um povo que insistia em viver longe do Senhor, o que o levou a escrever sobre suas angústias. Assim, foi chamado de profeta chorão.

Jeremias era extremamente piedoso e dedicado à oração. Tinha íntima comunhão com o Criador e foi chamado desde o ventre de sua mãe para ser profeta. No entanto, esse episódio mexeu profundamente com suas emoções, a ponto de ele dizer ao Senhor que não queria continuar no ministério e que desejava não ter nascido. O profeta apresentou sintomas depressivos intensos e foi mais um que pensou em desistir, pedindo a própria morte.

Com Jó, Davi e tantos outros, não foi diferente. Ainda que servissem a Deus, passaram por crises emocionais e sintomas depressivos evidentes. Não afirmo categoricamente que eles tenham tido depressão, uma vez que o propósito do texto bíblico não é descrever um quadro psiquiátrico. Entretanto, é muito provável que eles, se fossem entrevistados por um psiquiatra hoje, apresentassem o diagnóstico.

Para que compreendamos melhor, explicarei os sintomas relativos à depressão nos dias atuais:

CRITÉRIOS DE DIAGNÓSTICO DE DEPRESSÃO – DMS-V

O DSM-V disponibiliza nove critérios para caracterizar um episódio de depressão, dos quais a pessoa deve ter pelo menos cinco.

Dessa forma, para ter diagnóstico de depressão, o paciente precisa apresentar esses sintomas por pelo menos duas semanas, representando uma alteração quanto ao funcionamento anterior de seu organismo e que um deles seja obrigatoriamente:

- Humor deprimido;
- Perda de interesse ou prazer.

Além disso, a pessoa deve apresentar pelo menos cinco dos nove critérios/sintomas:

1. Humor deprimido em grande parte do dia, praticamente todos os dias, de acordo com o relato do paciente (p. ex., a pessoa se sente triste, vazia ou sem esperança), ou, então, outra pessoa observa o comportamento do paciente (p. ex., a pessoa parece chorosa). Em crianças e adolescentes, pode ser humor irritável.

2. Grande diminuição de interesse ou prazer em praticamente todas, ou quase todas, as atividades na maior parte do dia, quase todos os dias, de acordo com relato subjetivo ou observação.

3. Perda ou ganho significativo de peso sem estar fazendo dieta (p. ex., uma mudança de mais de 5% do peso corporal em menos de um mês), ou redução ou aumento de apetite quase todos os dias;

4. Insônia ou hipersonia quase diária;

5. Agitação ou retardo psicomotor quase todos os dias;

6. Fadiga ou perda de energia quase todos os dias;

7. Sentimentos de inutilidade ou culpa excessiva ou inapropriada, podendo até mesmo ser delirantes quase todos os dias, não sendo uma mera autorrecriminação ou culpa por estar doente;

8. Capacidade diminuída para pensar ou se concentrar, ou indecisão quase todos os dias (por relato subjetivo ou observação feita por outra pessoa);

9. Pensamentos recorrentes de morte (não somente medo de morrer); ideação suicida recorrente sem um plano específico, tentativa de suicídio ou plano específico para cometer suicídio.

Além desses nove critérios, a pessoa pode apresentar outros sintomas que não estão ligados diretamente às classificações diagnósticas, que são:

- Desesperança;
- Pessimismo;
- Irritabilidade;
- Retraimento social;
- Esquecimentos;
- Ansiedade;
- Sintomas físicos sem explicação;
- Sintomas paranoides;
- Sintomas obsessivos e compulsivos;
- Baixa autoestima.

Precisamos entender melhor o que significam os sintomas depressivos. Em primeiro lugar, nem toda tristeza é depressão. Estar triste é um sentimento natural. O próprio Jesus apresentou tristeza significativa no Getsêmani antes de ser crucificado. A tristeza possibilita amadurecimento, aprendizado, além de nos fazer refletir adequadamente sobre decisões importantes.

Sentir tristeza profunda não é pecado, porque Jesus experimentou esse sentimento e sabemos que ele nunca pecou. Dessa forma, devemos ter o mesmo cuidado que dispensamos à ansiedade: não afirmar que toda tristeza é pecado. O Senhor sabe exatamente o que sentimos quando estamos tristes. Com certeza, ele se entristeceu em outros momentos; então, compreende precisamente os momentos tristes e depressivos que vivemos na nossa caminhada terrena.

Entretanto, no diagnóstico da depressão, não há apenas tristeza, mas um conjunto de sintomas associados indicativos.

Conforme os critérios apresentados, o paciente deprimido apresenta a soma de diversos sintomas que exigirão tratamento médico especializado. Reforço, porém, que o humor deprimido (tristeza persistente) ou a perda de prazer ou interesse são imprescindíveis para o diagnóstico de depressão. Além disso, para que constituam depressão, esses sintomas devem ocorrer durante algum tempo e com intensidade suficiente a ponto de comprometer a vida pessoal, social ou profissional do paciente. Poucos dias de tristeza mais intensa não necessariamente indicam um quadro depressivo. O DSM considera imprescindível que os sintomas ocorram por pelo menos quinze dias.

> **Nem toda tristeza é depressão.**

O humor foi feito por Deus para que expressemos alegria e tristeza de acordo com as situações. Em alguns de nós, o cérebro processará as emoções na forma de tristeza. Em outros, na forma de alegria. É perfeitamente normal. Os salmistas frequentemente intercalavam momentos de tristeza com momentos de alegria.

Contudo, a tristeza característica da depressão normalmente é desproporcional ao momento vivido. É duradoura e intensa. Persiste por vários dias na maior parte das horas. Por ser incontrolável, não é adequado dizer a um paciente depressivo frases como: "Você tem que lutar contra essa tristeza", "Você precisa reagir", "Os seus problemas não são reais" ou "Você precisa ter fé em Deus". Tais argumentos podem até piorar a depressão do cristão.

> **A tristeza da depressão é desproporcional.**

Em alguns tipos de depressão, no lugar do humor triste, é o humor irritado que caracteriza o quadro, deixando o paciente extremamente impaciente e intolerante, mesmo em relação a pessoas próximas. Outro sintoma relevante da depressão é a perda do prazer. O nosso cérebro foi projetado pelo Criador com a capacidade de sentir e experimentar situações prazerosas. Entretanto, o deprimido perde frequentemente a capacidade de experimentar prazer nas atividades das quais gostava. Elas se tornam desinteressantes, chatas ou incapazes de ser realizadas.

Algumas pessoas perdem o interesse e o prazer a tal ponto de ficarem apáticas, alheias ao mundo e desinteressadas; algumas apresentam vontade recorrente de morte. São comuns pedidos para que o Senhor as leve

JESUS COMPREENDE A SUA DEPRESSÃO **139**

para o céu ou que possibilite que morram de uma doença grave quanto antes. Elias e Jeremias pensaram em desistir. Elias claramente pediu para morrer. Dessa forma, a depressão torna a vida triste, sem cor e sem prazer. Além disso, é comum estar sem energia ou disposição, mais cansado que o habitual ou sentir o corpo preso e pesado.

A depressão também pode alterar o apetite, o sono, o desejo sexual; aumentar as dores no corpo; piorar a imunidade e afetar a cognição (memória, concentração e atenção). O cristão com depressão perde progressivamente a vontade de orar, de ir à igreja e passa a ter menos vontade de ler a Bíblia. Além disso, a identidade é afetada, e passam a existir pensamentos como: "Deus me abandonou", "Não tem mais solução para mim", "Não consigo ter fé", entre outros.

As causas da depressão se devem a diversos fatores: componentes genéticos, psicológicos, ambientais, inflamatórios e espirituais — esta é uma opinião pessoal. Por isso, devemos compreender que nem sempre será possível identificar o fator preponderante em cada indivíduo. Cada pessoa pode ser mais suscetível a uma situação e mais resistente a outra. Em algumas, os gatilhos para as alterações físicas cerebrais ocorrem após períodos de estresse psicológico. Em outras, a depressão surge em momentos de paz e tranquilidade.

> **A depressão também pode ser genética.**

Há famílias com casos de depressão predominantes, e o componente genético é o maior fator causal. Boa parte dos quadros depressivos apresenta contribuição genética direta ou indireta. A hereditariedade faz que alguns indivíduos apresentem predisposição a alterações no funcionamento dos neurônios, aumentando o risco de sintomas depressivos.

O cérebro é uma máquina perfeita, complexa e misteriosa para a ciência. Sabemos que temos cerca de 85 bilhões de neurônios. Essas células nervosas se comunicam entre si de várias maneiras. Antigamente, achávamos que a depressão ocorria por "baixa de neurotransmissores" (que levam informações de um neurônio a outro). Hoje sabemos que não é assim. A verdade é que, nas pessoas com depressão, a comunicação entre os neurônios é prejudicada. Os medicamentos atuam principalmente para melhorar essa conexão.

Obviamente, como tudo em psiquiatria, a depressão não é somente genética. Estresse, fatores psicológicos, imunológicos e hormonais são fortes fatores de risco.

COMO JESUS ATENDERIA UM CRISTÃO DEPRESSIVO HOJE?

O ministério terreno de Jesus nos traz ensinamentos sobre os momentos em que estamos cansados, tristes e angustiados. Para compreender com exatidão, devemos primeiramente compreender que o Senhor sabe o que é sentir tristeza profunda: "Disse-lhes então: 'A minha alma está profundamente triste, numa tristeza mortal. Fiquem aqui e vigiem comigo'" (Mateus 26:38).

O relato de Mateus sobre Jesus no Getsêmani é altamente elucidativo. O Senhor foi levado ao limite da tristeza, da angústia e da solidão. Como Jesus não pecou, podemos inferir que sentir tristeza extrema não é pecado. Muitos argumentam que o Filho de Deus poderia ter sentido uma enorme tristeza por medo da morte e da cruz; entretanto, não é esse o motivo de ele ter sentido a alma profundamente triste.

Em primeiro lugar, Jesus sabia que seria separado do Pai celestial por alguns momentos. Ele expressou sofrimento a esse respeito ao dizer: "Meu Deus! Meu Deus! Por que me abandonaste?". Além disso, ele sabia que sofreria o peso do pecado de toda a humanidade. A cruz foi um lugar de solidão.

Isaías nos diz que Jesus foi um "homem de dores e experimentado no sofrimento" (Isaías 53.3). Vimos, em capítulo anterior, que o Mestre se entristeceu com a morte de Lázaro e ao contemplar o futuro de Jerusalém. Acredito que ele também sentiu tristeza em outros momentos da vida terrena. Infelizmente, o conceito sobre a humanidade de Jesus, o fato de ele ter vivenciado os diversos tipos de sentimentos humanosé pouco ensinado na caminhada cristã. Penso que todos aqueles que vivem um episódio depressivo deveriam compreender que o Salvador da humanidade sabe o que é sentir todo tipo de tristeza, até mesmo as mais profundas.

Não digo que Jesus teve depressão, mas que, se existisse uma escala de tristeza de 0 a 100, ele com certeza viveu o limite mais alto, ao qual nenhum outro homem foi submetido, quando suportou o peso do pecado de toda a humanidade no Getsêmani. É óbvio que nunca sentiremos a tristeza que o Senhor experimentou antes da crucificação. Afinal, ele levou os pecados de todo o mundo e nos reconciliou com o Pai, aplacando a ira divina sobre os nossos delitos. Contudo, o Sacerdote que sentiu tamanha dor não é insensível às demais tristezas que apresentamos.

Quando uma pessoa deprimida se aproxima do Filho, ele compreende suas dores e a acolhe sem julgamentos. Demonstra compaixão, não juízo sobre alguém emocionalmente fragilizado. Dessa forma, jamais dirá a um deprimido: "Você não crê em mim porque está triste" ou "Você está em pecado"; muito menos: "Você é fraco por permitir esses pensamentos".

Se você está passando por um episódio depressivo, não pense que o Criador está distante. Nada poderá separar você do amor de Deus. Jesus já levou na cruz toda a culpa e todo o distanciamento do Pai em relação ao pecado ou aos sofrimentos humanos.

Na tristeza de Jesus no Getsêmani e em sua ressurreição, temos a graça de ser acolhidos eternamente pelo Senhor com amor e compaixão. A depressão não é o fim da história. Deus não está distante nem é insensível aos episódios depressivos. Mesmo que cheguemos a pensar que Deus nos abandonou, ele continua nos amando e compreende as nossas aflições.

REFLEXÃO

Jesus sabe o que é sentir tristeza extrema.

VERSÍCULO PARA MEDITAR

Venham a mim, todos os que estão cansados e sobrecarregados, e eu darei descanso a vocês. (Mateus 11:28)

DIA 16

Praticando a Palavra de Deus contra a depressão

PRÁTICA 1
O QUE JESUS FEZ QUANDO SENTIU TRISTEZA EXTREMA

Leia o texto bíblico:

> Levando consigo Pedro e os dois filhos de Zebedeu, começou a entristecer-se e a angustiar-se. Disse-lhes então: "A minha alma está profundamente triste, numa tristeza mortal. Fiquem aqui e vigiem comigo". Indo um pouco mais adiante, prostrou-se com o rosto em terra e orou: "Meu Pai, se for possível, afasta de mim este cálice; contudo, não seja como eu quero, mas sim como tu queres" (Mateus 27:37-39).

▶ Como vimos no capítulo anterior, Jesus demonstrou profunda tristeza na noite anterior à crucificação. O que ele fez no momento de tristeza? Anote a sua percepção.

_____

_____

_____

_____

DICA 1: Escolha amigos e pessoas próximas para estarem perto de você.

Sabemos que a depressão faz que o enfermo deseje se distanciar de todos. Logo, um cristão deprimido não quer ter pessoas ao redor, tampouco ir à igreja. Quando estamos tristes, porém, devemos fazer como Jesus: na tristeza, ele chamou amigos para estar com ele (Pedro e os dois filhos de Zebedeu).

▶ Se você estiver passando por um momento de tristeza, ou venha a passar no futuro, quem estará com você?

_____

_____

_____

_____

_____

▶ Qual foi a sua experiência quando passou por uma crise emocional? Você teve amigos ao seu lado?

_____

_____

_____

_____

_____

DICA 2: Seja honesto sobre os seus sentimentos

Jesus poderia esconder os sentimentos dos discípulos, mas optou por não fazê-lo. Ele abriu o coração ao dizer: "minha alma está profundamente triste, numa tristeza mortal". Cristãos deprimidos tendem a esconder os sentimentos com receio dos julgamentos que possam sofrer. Contudo, o Senhor não escondeu os sentimentos de seus amigos; pelo contrário, ele nos ensinou que, para superar a tristeza extrema, devemos compartilhar as dores com as pessoas próximas. Quanto mais tristezas guardamos, é mais provável que entremos em um quadro depressivo. Ponha os sentimentos para fora.

▶ Você seria capaz de pôr os seus sentimentos para fora sem medo de ser julgado?

_____

_____

_____

_____

_____

DICA 3: Peça oração

Quando Jesus viveu uma tristeza mortal, pediu aos amigos que intercedessem por ele: "Fiquem aqui e vigiem comigo". Em um quadro de tristeza extrema ou depressão, normalmente não conseguimos orar, pois nos faltam energia e até mesmo concentração para iniciar uma oração. Jesus, o Filho de Deus, sabia da importância da oração nesses momentos e pediu oração aos amigos próximos. Se você passa por depressão, não se isole nos seus próprios sentimentos. Fale com pessoas próximas e peça oração.

▶ Você pode contar com pessoas que intercedam por você? Qual foi a sua última experiência de oração com outra pessoa? Você costuma pedir oração?

_____

_____

_____

_____

_____

_____

DICA 4: Seja honesto sobre os seus sentimentos diante de Deus

Em um quadro de tristeza extrema, a pior escolha a ser feita é esconder os sentimentos de Deus. Se esconder o que você sente das pessoas próximas é algo extremamente doentio, não falar a respeito desse assunto com o Pai impossibilitará que você tome o remédio certo para a tristeza, a dor ou a angústia que arrebatam o seu coração. Jesus foi honesto sobre o que sentia diante de Deus: "Meu Pai, se for possível, afasta de mim este cálice".

► Como você tem apresentado os seus sentimentos a Deus? Tem permitido que falsos conceitos sobre depressão ou espiritualidade tóxica impeçam você de confessar as suas dores? Nas suas orações, você tem conseguido falar sobres os seus sentimentos sem medo ou tem evitado falar o que está no seu coração? Escreva uma oração honesta sobre o que vem sentindo.

_____

_____

_____

_____

_____

_____

_____

DICA 5: Confie à soberania de Deus os seus sentimentos

No momento de maior angústia, Jesus reconheceu a soberania do Pai sobre a vida. Enquanto sentia grande dor, foi capaz de orar "não seja como eu quero, mas sim como tu queres". A tristeza extrema e a depressão nos levam, muitas vezes, a ter a sensação de que o Senhor não tem controle sobre a nossa vida. Assim, nossa fé se esfarela e nos angustiamos ainda mais.

Jesus, porém, nos ensina que Deus é soberano, amoroso e cumpre seus propósitos. Dias de tristeza extrema não são o fim da vida; sempre há uma nova história. O Mestre sabia que teria glória futura e que o Pai cumpriria seus propósitos, ainda que a tristeza fosse mortal. Ao enfrentar a depressão, não se esqueça de que os planos divinos não serão frustrados por causa do seu estado emocional. O Criador não é refém do que você sente. Ele cumprirá os propósitos dele ainda que você passe por momentos difíceis.

► Qual é a sua visão de Deus? Você acredita que ele é soberano e controla todas as coisas? Escreva uma carta a ele dizendo que reconhece a soberania divina sobre a sua vida.

_____

_____

_____

PRÁTICA 2
MEDITE NO SALMO 94

Não fosse a ajuda do Senhor, eu já estaria habitando no silêncio. Quando eu disse: Os meus pés escorregaram, o teu amor leal, Senhor, me amparou! Quando a ansiedade já me dominava no íntimo, o teu consolo trouxe alívio à minha alma. [...] Mas o Senhor é a minha torre segura; o meu Deus é a rocha em que encontro refúgio. Deus fará cair sobre eles os seus crimes, e os destruirá por causa dos seus pecados; o Senhor, o nosso Deus, os destruirá! (Salmos 94:16-19,22,23)

PRÁTICA 3
ORAÇÃO

Senhor Jesus, hoje estou diante de ti para apresentar os meus sentimentos. Venho sentindo tristeza, uma tristeza às vezes mortal. Em muitos momentos, não tenho tido prazer de viver e não consigo ter fé de que sairei desta situação. Contudo, sei que tu, Senhor, não estás distante; sei que te importas com os meus sentimentos. Peço-te que me visites e restaures as minhas emoções. Que, na minha pequena fé, o teu poder cresça na minha fraqueza. Ensina-me a ver, pelo teu Espírito, que este momento não é o fim da minha vida. Traz esperança e alegria ao meu coração. Amém.

DIA **17**

Identifique o *burnout* espiritual

Venham a mim, todos os que estão cansados e sobrecarregados, e eu darei descanso a vocês. (Mateus 11:28)

▶ Um dos grandes problemas do nosso tempo é o elevado número de pessoas esgotadas e cansadas. Você já se sentiu esgotado emocional, física e espiritualmente?

_____

_____

Talvez você tenha tido um quadro de *burnout*. A síndrome de *burnout* é classicamente associada ao esgotamento profissional. Não é necessariamente um quadro psiquiátrico. Tem como característica principal a exaustão física e mental.

A palavra *burnout* é formada pela junção, em inglês, de *burn*, que significa "queimar", e *out* que significa "algo fora" ou "exterior". O termo se refere a um processo no qual queimamos de fora para dentro. O ambiente em que vivemos, depois de exercer estresse e pressão emocional, pode gerar vários sintomas de esgotamento ou até quadros depressivos e ansiosos.

Em estágios iniciais, mesmo que os pacientes apresentem sintomas depressivos e ansiosos leves, muitos não se enquadram no diagnóstico psiquiátrico. Entretanto, a maior parte dos pacientes acaba evoluindo para

148 PSIQUIATRIA E JESUS

algum transtorno mental no futuro, caso não mude de estilo de vida ou altere o ambiente que causa o esgotamento.

De maneira clássica, a síndrome ocorre em situações de esgotamento profissional crônico. Por ter sido submetido quer a condições de trabalho desgastantes, quer a uma elevada carga de responsabilidade ou a muita competitividade, o quadro é desenvolvido. Se pudéssemos resumir os fatores a uma palavra, seria "pressão". Dessa forma, o quadro se deve tecnicamente a situações de estresse e tensão emocional vivenciadas em ambientes de trabalho.

O diagnóstico é clínico, mas, em alguns momentos, são necessários exames complementares para se fazer o diagnóstico diferencial. Os sinais e os sintomas mais comuns de *burnout* (esgotamento) são:

- Cansaço excessivo, físico e mental;
- Dor de cabeça frequente;
- Alterações no apetite;
- Insônia;
- Dificuldades de concentração;
- Sentimentos de fracasso e insegurança;
- Pensamentos negativos constantes;
- Sentimentos de derrota e desesperança;
- Sentimentos de incompetência ou inutilidade;
- Mudanças bruscas de humor;
- Isolamento;
- Fadiga;
- Pressão alta;
- Dores musculares;
- Problemas gástricos e intestinais;
- Alteração nos batimentos cardíacos.

Os sintomas podem se confundir com diversas condições clínicas e psiquiátricas. É necessária uma avaliação médica para traçar possíveis diagnósticos diferenciais.

Apesar de o *burnout* ocorrer tecnicamente por motivos de estresse crônico no ambiente de trabalho, os sintomas de *burnout* (chamarei aqui de esgotamento crônico) podem ocorrer por estresse em ambientes acadêmicos, sociais e até familiares. Dessa forma, considerando outras possibilidades e ambientes para o desenvolvimento desse quadro, gostaria de apresentar um tipo muito importante para os cristãos. O *burnout* ministerial ou espiritual (originado nos ambientes ministeriais ou de comunidades cristãs).

De maneira sucinta, o esgotamento espiritual em um cristão envolve quatro aspectos que delimito a seguir:

- **Esgotamento físico.** Ocorre sobretudo pela negligência com os cuidados do corpo. O excesso de trabalho leva muitos líderes a não praticarem exercícios, comerem mal e terem uma redução das horas de sono. Com o tempo, a saúde física se debilita progressivamente.
- **Esgotamento relacional.** Pode ser causado por excesso de atendimentos, relacionamentos abusivos com líderes ou membros da igreja, o que leva a pessoa a se isolar cada vez mais. É comum perder a paciência com os demais ou simplesmente evitar contatos relacionais nos ambientes ministeriais. Literalmente, o cristão fica com "preguiça de gente".
- **Esgotamento emocional.** Quando se chega a esse ponto, as emoções estão extremamente drenadas. Há um sentimento de que ninguém mais pode ajudar, e os sentimentos de desesperança e frustração com o ministério afetam o trabalho, a família e os relacionamentos sociais. São comuns alterações emocionais como apatia ou irritabilidade, medo, insegurança ou sentimento contínuo de que o pior vai acontecer.
- **Esgotamento espiritual.** Nesse tipo de esgotamento, o líder perde a capacidade de seguir disciplinas espirituais. Ao longo do ministério, as jornadas excessivas e o estresse o levam a cuidar da vida espiritual de todos, menos da dele. É comum não ter forças para orar ou ler a Bíblia.

Para se ter uma ideia do tamanho desse problema, foram realizadas várias pesquisas com o objetivo de obter dados sobre a saúde física e emocional de líderes religiosos. Os dados são alarmantes:[1]

---

[1] Os dados apresentados são uma compilação do resultado de diversas pesquisas, quais sejam: (1) David Ross e Rick Blackmon: "Soul Care for Servants" [Cuidados da alma para servos], de relato dos resultados da pesquisa do Fuller Institute of Church Growth Research em 1991 e outras pesquisas em 2005 e 2006. (2) Pesquisa de Francis A. Schaeffer Institute of Church Leadership Development, estudos em 1998 e 2006. (3) Pesquisa da *Leadership Magazine* para o artigo "Marriage Problems Pastors Face" [Problemas conjugais enfrentados por pastores], tema da edição do Inverno de 1992. (4) Grey Matter Research, de 2005, estudo científico de pastores de todas as cidades dos EUA. (5) *Pastors at Greater Risk* [Pastores em grande risco], de H.B. London e Neil B. Wiseman, Regal Books, 2003. (6) *Focus on the Family*, em 2009, pesquisa com dois mil pastores. (7) , 2013.

150 PSIQUIATRIA E JESUS

Estresse ministerial

- 75% dos líderes religiosos relatam estar "extremamente estressados" ou "muito estressados".
- 90% dos líderes trabalham de 55 a 75 horas por semana.
- 90% dos líderes sentem-se cansados e desgastados todas as semanas.
- 70% dos líderes dizem que são muito mal pagos.
- 40% dos líderes relatam ter um conflito sério com um membro da igreja pelo menos uma vez por mês.
- 78% dos líderes religiosos foram forçados a renunciar à sua igreja (63% pelo menos duas vezes), mais comumente por causa de conflitos ministeriais.
- 80% dos líderes religiosos não estarão no ministério dez anos após a pesquisa. Uma pequena fração fará da liderança eclesiástica uma carreira vitalícia. Em média, os pastores permanecem por apenas cinco anos no ministério de uma igreja.
- 100% de 1.050 pastores tiveram um colega que deixou o ministério por causa de esgotamento, conflito na igreja ou problemas morais.
- 91% dos líderes experimentaram algum tipo de esgotamento ministerial.

Saúde emocional e família

- 70% dos líderes dizem que têm autoestima mais baixa agora do que quando ingressaram no ministério.
- 70% dos líderes lutam constantemente contra sintomas depressivos.
- 50% dos líderes se sentem tão desanimados que deixariam o ministério se pudessem, mas não conseguem encontrar outro emprego.
- 80% dos líderes acreditam que o ministério pastoral afetou negativamente a família.
- 80% dos cônjuges dos líderes se sentem excluídos e desvalorizados na igreja.
- 77% dos líderes sentem que não têm um bom casamento.
- 50% dos líderes admitem ver pornografia e 37% deles relatam comportamento sexual impróprio com alguém na igreja.
- 65% dos líderes sentem que a família está em cacos e à beira de um colapso.

Vida e ministério

- 53% dos pastores não sentem que o seminário ou a faculdade teológica os preparou adequadamente.
- 70% dos pastores não têm alguém que consideram um amigo próximo.
- 50% dos pastores não se reúnem regularmente com alguém que os escute ou faça algum tipo de mentoria.
- 72% dos pastores estudam a Bíblia apenas quando se preparam para sermões ou estudos bíblicos.
- 21% dos pastores gastam menos de 15 minutos por dia em oração; a média é de 39 minutos diários.
- 16% dos pastores estão "muito satisfeitos" com sua vida de oração, 47% estão "um pouco satisfeitos" e 37% deles estão "um pouco insatisfeitos" ou "muito insatisfeitos".
- 44% dos pastores não tiram dias de folga regulares.
- 31% dos pastores não fazem exercício físico e 37% deles se exercitam pelo menos três ou quatro dias por semana, conforme recomendado.
- 90% dos pastores dizem não ter recebido treinamento adequado para atender às demandas do ministério.
- 85% dos pastores nunca tiraram um período sabático.

Ao observar esses dados, percebemos que o esgotamento espiritual (ministerial) é uma realidade grandemente presente na sociedade. Atendendo líderes religiosos nestes quase vinte anos de psiquiatria, vimos que uma das características mais marcantes deles é a perda da paixão pelo ministério. Progressivamente, as atividades se tornam protocolares e enfadonhas. Além disso, se, no início, o quadro gera angústia por não conseguir realizar as atividades ministeriais; ao longo do tempo, o líder é tomado por frieza e indiferença. Nessa fase, as pessoas ao redor percebem que ele está distante e pouco interessado no convívio social. À medida que o quadro evolui, o cansaço fica tão evidente que o sono, os dias de folga e até mesmo as férias já não são suficientes para produzir conforto emocional.

Genética e questões relacionadas à personalidade podem predispor uma pessoa a passar por *burnout* espiritual (ministerial). Contudo, a condição é muito mais comum em igrejas abusivas, nas quais imperam a manipulação emocional e a pressão por resultados. Nesses casos, líderes e membros são pressionados a fazer que a igreja (vista como uma empresa) gere resultados, em uma linguagem de mercado travestida de espiritualidade.

No início, o paciente não percebe o adoecimento. As agendas pesadas da igreja e as várias reuniões são vistas como "propósito necessário para servir a Deus". Progressivamente, a saúde física e mental, além do tempo com a família, são negligenciados. A rota para o esgotamento é certeira, com prejuízo para todos ao redor.

É essencial, quando se trata do esgotamento crônico, ter em mente que, em geral, o tratamento não é medicamentoso. A maior parte dos quadros é tratada com mudanças no estilo de vida. Os medicamentos são reservados a pacientes que passam a apresentar sintomas condizentes com depressão, transtorno de ansiedade ou outros quadros psiquiátricos. Logo, mudar o estilo de vida é fundamental para sair do esgotamento. É preciso repensar o estilo de vida e mudar a forma de vivenciar a espiritualidade.

Na primeira metade deste livro, vimos como Jesus foi humano e sujeito às mesmas emoções que nós. Também compreendemos que, em geral, temos falsos conceitos quando pensamos em Jesus: costumamos achar que ele sempre estava trabalhando, pregando e nunca tinha tempo para descansar, conversar com os amigos ou se divertir. Já atendi cristãos que achavam que o Mestre nem sequer tinha senso de humor, não contava piadas nem se beneficiava da Criação.

Essa visão errônea sobre o Senhor influencia negativamente nossa espiritualidade. Ao acreditar que ele era totalmente desumanizado, seguimos a tendência de tentar ser anti-humanos e vivemos uma espiritualidade doente que conduz mais facilmente ao estresse e ao esgotamento. Se a fé não propicia descanso e amizade, mas cultiva um regime de metas e resultados, fatalmente nos conduzirá ao *burnout*.

Quando olhamos para as Escrituras e lemos o primeiro milagre de Jesus, vemos que não foi o de expulsar um demônio ou curar um enfermo. Ele estava em uma festa de casamento, provavelmente dançando, alegrando-se e se divertindo com os amigos. Naquela ocasião, Jesus transformou água em vinho. O primeiro milagre não foi em um ambiente eclesiástico, mas social. Para o Mestre, não existiam ambientes "santos" ou "impuros". Em cada lugar, ele vivia com o coração conectado ao Pai. Jesus não tinha duas personalidades, uma dentro do templo e outra fora dele.

A separação de ambientes e a tentativa de muitos cristãos de adotar "personagens" diferentes de acordo com cada situação somente produzem estresse, esgotamento e adoecimento mental no longo prazo. A vida terrena de Jesus nos ensina que devemos orar para ser a mesma pessoa, independentemente do ambiente em que estivermos. Também nos mostra que muitos milagres ocorrerão na nossa vida fora de ambientes eclesiásticos.

Ao abordar o esgotamento crônico, esses fatores sobre o Senhor são importantes. Em muitos casos, a origem do *burnout* está no fato de que muitos, pela necessidade de vestir uma "roupa superespiritual", vivem em uma verdadeira bolha religiosa que os impede de viver o evangelho genuíno. Não podemos nos esquecer de que Jesus também se divertia e tinha tempo para se alegrar com os amigos. Além disso, ele descansava. Enquanto o barco balançava com a fúria das ondas, Cristo estava dormindo, descansando. Sim, ele também precisava dormir e se alimentar (Marcos 4:35-41).

O *burnout* nasce quando deixamos de imitar o Mestre e quando o nosso relacionamento com o Pai é substituído por metas ou cobranças. Dessa forma, nós nos preocupamos mais em fazer do que em estar com o Filho. Sem perceber, acabamos por nos desumanizar e buscar um tipo de espiritualidade inexistente na Bíblia. Jesus faz um convite direto aos "cansados e sobrecarregados". Ele convoca todos os esgotados em um mundo cada vez mais estressante. Tanto com o peso do pecado quanto em um quadro de angústia, de depressão ou de esgotamento, Cristo fala para nos achegarmos a ele e obtermos descanso. Deus não descarta os cansados nem levanta outros para substituí-los. Somos sempre convidados a recomeçar, a descansar, a corrigir rotas e a segui-lo: "Venham a mim, todos os que estão cansados e sobrecarregados, e eu darei descanso a vocês" (Mateus 11:28).

J. C. Ryle expõe essa passagem de maneira extremamente lúcida:

> Note, em seguida, *a graciosa oferta que Jesus faz*: "Eu vos aliviarei [...] e achareis descanso para as vossas almas". Quão animadoras e confortantes são essas palavras! A falta de tranquilidade é uma das grandes características do mundo. A pressa, o vexame, o fracasso e os desapontamentos nos confrontam por todos os lados. Mas há esperança. Existe uma arca de refúgio para o cansado, tal como houve para a pomba solta por Noé. Em Cristo, encontramos descanso — descanso para a consciência e para o coração, descanso fundamentado no perdão de todo pecado, descanso que é resultado da paz com Deus. Veja *quão simples é o pedido que Jesus faz aos que estão cansados e sobrecarregados*. "Vinde a mim [...] tomai sobre vós o meu jugo [...] aprendei de mim [...]." Jesus não interpôs nenhuma condição difícil de ser atendida. Ele nada fala sobre obras a serem realizadas, ou de merecimentos, para que

alguém possa receber seus dons. Ele somente nos pede para irmos até ele como estamos, com todos os nossos pecados, entregando-nos aos seus cuidados, como criancinhas dispostas a receber seu ensino. É como se Jesus dissesse: "Não busqueis alívio nos homens. Não espereis que vos apareça alguma ajuda, vinda de outra direção. Tais e quais sois, neste mesmo dia, vinde a mim".[2]

Se você vive um esgotamento espiritual crônico, sempre há tempo para recalcular a rota. Deus não deseja que a vida cristã seja como uma empresa medida por metas ou resultados alcançados. Ele nos chama a descansar e fugir da religiosidade tóxica que progressivamente nos adoece física e emocionalmente. Além disso, deixamos de experimentar o Reino de Deus como de fato ele é.

PRÁTICA 1

▶ Considerando os sintomas de *burnout*, você considera que já passou por um período de esgotamento espiritual? Como se sentiu?

_____

_____

_____

_____

_____

_____

PRÁTICA 2

▶ O esgotamento crônico tem afetado a sua fé ou o seu prazer de ir à igreja?

_____

_____

_____

_____

_____

_____

---

[2] RYLE, J. C. *Meditações no evangelho de Mateus*. 2. ed. São José dos Campos: Fiel, 2018. p. 120-1.

PRÁTICA 3

▶ Você acredita que a sua espiritualidade melhora ou piora a sua saúde mental? Como?

_____

_____

_____

_____

_____

PRÁTICA 4

▶ O que você pretende fazer para sair do _burnout_?

_____

_____

_____

_____

_____

PRÁTICA 5
ORAÇÃO

Senhor Jesus, hoje me apresento diante de ti porque estou cansado e sobrecarregado. Percebo que o burnout tem roubado a minha fé, a minha identidade e o meu prazer em te servir ou ir à igreja. Da mesma forma, por vários dias, tenho pensado em desistir. Peço-te que, por meio do teu Espírito e do teu poder, tu me leves a descansar, Senhor. Rogo que me ajudes a corrigir na minha fé o que me tem afastado do caminho saudável emocional, física e espiritualmente. Ensina-me a descansar. Coloca-me nos braços do teu descanso. Ensina-me a desacelerar e a sair do esgotamento. Ajuda-me a saber as reais prioridades da minha vida. Que, a partir de hoje, eu não viva uma fé que me ponha em um ciclo destrutivo de cobranças e demandas por produtividade, custe o que custar. Que eu não tenha uma vida dupla e não precise viver personagens diferentes em cada ambiente. Ajuda-me a te imitar e te servir com todo o coração, com toda a alma e todo o entendimento. Amém.

DIA 18

Saia do *burnout*

Considere os seguintes sintomas de *burnout*:

- Sinto que sofri abusos espirituais e emocionais por minha liderança;
- Fui ferido e rejeito a igreja ou não quero mais me abrir com ninguém;
- Tenho vontade de largar tudo e sair correndo do ministério;
- Não consigo mais ler a Bíblia;
- Sinto que a igreja está mais preocupada com as metas do que com as pessoas;
- A vida espiritual é um fardo para mim;
- Não tenho prazer em ir à igreja;
- Vejo que todos na igreja só querem me usar;
- Todas as pessoas da igreja são falsas ou chatas;
- Tenho dificuldade de orar;
- Eu não quero orar nem aconselhar ninguém;
- Tenho vontade de sumir e acordar somente daqui a um ano;
- Cansaço excessivo, físico e mental;
- Dor de cabeça frequente;
- Alterações no apetite;
- Insônia;
- Dificuldades de concentração;
- Sentimentos de fracasso e insegurança;
- Pensamentos negativos constantes;
- Sentimentos de derrota e desesperança;

- Sentimentos de incompetência ou inutilidade;
- Mudanças bruscas de humor;
- Isolamento;
- Fadiga;
- Pressão alta;
- Dores musculares;
- Problemas gástricos e intestinais;
- Alteração nos batimentos cardíacos.

PRÁTICA 1

▶ Dados os sintomas apresentados anteriormente, anote aqueles com os quais você se identifica.

_____

_____

_____

_____

_____

_____

_____

_____

_____

PRÁTICA 2

▶ Alguém na sua rede de relacionamentos é capaz de acolher, aconselhar ou ouvir você sem preconceito? Quem?

_____

_____

PRÁTICA 3

▶ Como você descreve a sua relação com a igreja? Como é sua vida espiritual hoje? Leve ou atarefada?

_____

_____

PRÁTICA 4

▶ Você já viveu alguma situação na qual se sentiu usado espiritual ou emocionalmente por uma liderança abusiva?

PRÁTICA 5

▶ Como você se sente hoje? O fato ocorrido (caso a resposta à Prática 4 tenha sido afirmativa) ainda afeta a sua vida emocional ou espiritual?

PRÁTICA 6

▶ Você mudou de igreja ou conversou com outra liderança sobre o abuso? Qual atitude você tomou?

PRÁTICA 7

▶ Levando em consideração que o *burnout* é causado por estresse crônico e pressões de longo prazo, o que você mudaria na sua vida hoje para evitá-lo?

_____

_____

_____

_____

_____

PRÁTICA 8

Leia e reflita atentamente sobre os vinte hábitos ou comportamentos listados a seguir:

- Descansar;
- Ter tempo livre com a família;
- Praticar esportes;
- Ter *hobbies*;
- Ter tempo livre de lazer;
- Fazer atividades fora da igreja;
- Ter amigos confidentes;
- Alimentar-se bem;
- Praticar a gratidão diariamente;
- Dormir o suficiente;
- Beber água de maneira satisfatória;
- Ser generoso;
- Escrever em um diário como foi o dia;
- Tentar ver as situações com bom humor;
- Ter tempo para oração e solitude diante de Deus;
- Saber separar o urgente do importante;
- Saber gerir o tempo;
- Saber dizer "sim" e "não" quando é necessário;
- Praticar uma fé saudável que não o desumaniza;
- Frequentar uma igreja saudável que não aumente o seu estresse e esgotamento.

► Escreva a seguir quais deles *não* fazem parte da sua vida.

_____

_____

_____

_____

_____

_____

_____

_____

_____

_____

_____

_____

PRÁTICA 9

▶ Ciente de que os vinte hábitos (ou comportamentos) mencionados estão associados a menores riscos de estresse e esgotamento, escreva cinco metas que você considera possíveis de serem implantadas nos próximos três meses.

_____

_____

_____

_____

DIA 19

Recomece sempre

Depois de comerem, Jesus perguntou a Simão Pedro: "Simão, filho de João, você me ama mais do que estes?". Disse ele: "Sim, Senhor, tu sabes que te amo". Disse Jesus: "Cuide dos meus cordeiros". Novamente Jesus disse: "Simão, filho de João, você me ama?". Ele respondeu: "Sim, Senhor, tu sabes que te amo". Disse Jesus: "Pastoreie as minhas ovelhas". Pela terceira vez, ele lhe disse: "Simão, filho de João, você me ama?". Pedro ficou magoado por Jesus lhe ter perguntado pela terceira vez "Você me ama?" e lhe disse: "Senhor, tu sabes todas as coisas e sabes que te amo". Disse-lhe Jesus: "Cuide das minhas ovelhas". (João 21:15-17)

Toda forma verdadeira de conhecimento começa com um entristecimento consigo mesmo. (Søren Kierkegaard)

Vimos nos capítulos anteriores, sobre o *burnout*, como o esgotamento crônico prejudica a fé e as emoções. Entretanto, precisamos também falar dos traumas agudos e de como eles repercutem na saúde mental. Muitas vezes, estamos presos a momentos nos quais falhamos em servir a Deus da maneira que gostaríamos. São traumas emocionais que não superamos e nos impedem de avançar para novos propósitos. Esses acontecimentos se tornam fortalezas e impedem o nosso avanço espiritual no Reino de Deus.

Há um grande universo de cristãos reféns de erros e tropeços em suas jornadas de fé. Muitos se sentem indignos de ser usados por Deus porque, em algum momento, pecaram ou não conseguiram expressar a fé da maneira que julgavam ser a correta. O apóstolo Pedro, por exemplo, traiu Jesus. O Mestre fez questão de reabilitá-lo para que a dor aguda da traição não se tornasse um obstáculo emocional para o ministério do discípulo.

Além deste, existem os traumas que nos são causados por outros, como foi o caso de José do Egito, por exemplo. Acredito ser a forma mais comum de trauma reconhecida pela sociedade em geral. Independentemente do tipo de trauma, Jesus sabe a importância de curar as nossas vivências emocionais dolorosas, mesmo que sejam fruto de erros evidentes da nossa parte.

Lembremos que os traumas são grandes causadores de transtornos mentais. Jesus não nos quer presos a eles. Uma das maiores curas emocionais realizadas pelo Senhor foi a do apóstolo Pedro. Se o Mestre o restaurou psicologicamente, é capaz de curar qualquer um de nós. Pedro nos ensina que é possível recomeçar sempre, que Jesus não descarta pessoas, mas deseja nos curar para cumprir os propósitos estabelecidos antes da fundação do mundo. Cristo é especialista em recuperar pessoas traumatizadas.

Podemos descartar as pessoas que nos frustraram. Podemos não querer conviver com elas e menos ainda dar-lhes uma segunda chance. Jesus, todavia, não nos avalia por momentos. Ele constrói uma história na nossa vida a despeito de erros e acertos.

A Bíblia nos diz que Pedro, um dos discípulos mais próximos do Senhor, o negou por três vezes, mesmo tendo anteriormente declarado que o amava mais que todos os outros discípulos. Pedro chegou a expressar que seria capaz de morrer pelo Mestre. Entretanto, conforme as Escrituras nos mostram, ele negou ser um dos discípulos quando correu o risco de ser condenado. Conforme profetizado, antes de o galo cantar, Pedro não foi capaz de sustentar que era de fato um grande amigo e discípulo de Jesus:

> E logo o galo cantou pela segunda vez. Então Pedro se lembrou da palavra que Jesus lhe tinha dito: "Antes que duas vezes cante o galo, você me negará três vezes". E se pôs a chorar (Marcos 14:72).

Há momentos na caminhada com Jesus nos quais não conseguimos crer nas promessas, falhamos ou simplesmente o "traímos" por fraquezas ou incredulidade. Quando Pedro compreendeu o que fizera, chorou.

Em alguns dias, você não conseguirá sustentar seu compromisso com Jesus.

Muitas pessoas provavelmente estão vivenciando situações semelhantes. Algo que fizeram teima em ser como uma flecha que lhes acerta o coração em acusação: "Você não tem mais jeito" ou "É impossível se recuperar depois disso". Talvez seja você uma dessas pessoas presas a um trauma. A condição do traumatizado o leva a achar que Deus o abandonou e tudo está perdido. A pessoa pode ter consciência do amor divino, mas não se considera digna de ser amada.

Pedro foi um homem oscilante, assim como todos nós somos. A caminhada do apóstolo com Jesus foi marcada por momentos de fé e dúvida, de alegria e desesperança. Ele exemplificou a bipolaridade da nossa fé, que alterna, vacila e duvida. Não há quem ande com Cristo sem passar por crises como essa. Problemas são reais e nos entristecem profundamente.

> O Senhor voltou-se e olhou diretamente para Pedro. Então Pedro se lembrou da palavra que o Senhor lhe tinha dito: "Antes que o galo cante hoje, você me negará três vezes". (Lucas 22:61)

Depois da traição de Pedro, Jesus lança-lhe um olhar penetrante na alma. Não de condenação, mas de amor e compaixão. Quando o Senhor observa o trauma, é sempre uma janela aberta para a reconstrução e para novas oportunidades. Alguns olhares falam mais que muitas palavras. Aqueles olhos mostravam ao apóstolo que o Mestre conhece a natureza humana e que, de antemão, sabe o que seremos capazes de suportar durante a jornada. Cristo sabia que o discípulo sucumbiria. Ele conhece os nossos limites, mas sempre nos permitirá a recuperação.

Uma constatação importante sobre o choro de Pedro é que não foi de remorso, como o de Judas. Demonstrava, sim, um coração arrependido pela vergonha do pecado. Deus se alegra com essas lágrimas e as usa para lavar o coração angustiado. Assim, não devemos ter medo de reconhecer os nossos erros diante do Mestre. Devemos lamentar amargamente o pecado sempre na certeza de que não é o fim. Chorar copiosamente é prantear com o coração quebrantado, sentindo na alma o peso do erro com uma postura humilde diante de Jesus. A contrição é a porta dos recomeços, e o Senhor viu o arrependimento de Pedro ao olhar para ele.

No capítulo 21 do Evangelho de João, Cristo cura o interior de Pedro. Antes de vê-lo tornar-se apóstolo e cuidar de tantas ovelhas, Jesus o curou emocionalmente.

Deus quer que tenhamos paz com o passado. Antes de sermos usados para a obra divina, ele se interessa pela restauração das nossas emoções. Pessoas são mais importantes que ministérios para Deus. Quem você é importa mais do que aquilo que você pode fazer. Jesus poderia enviar imediatamente Pedro como missionário, mas optou pela cura emocional do discípulo primeiro.

> **Deus quer ver você fazer as pazes com o passado.**

Assim como Pedro negou o Senhor três vezes, o Mestre o cura por meio de três perguntas. O questionamento foi sobre o amor do apóstolo por Cristo e foi feito de maneiras diferentes. Na primeira, a palavra grega utilizada por Jesus foi *agape*, que se refere a um amor sacrificial, como o amor divino por todos nós: "Jesus perguntou a Simão Pedro: 'Simão, filho de João, você me ama mais do que estes?'" (Mateus 21:15). Pedro responde que tem amor *phileo*, ou seja, fraternal. A pergunta foi: "Pedro, tu me amas com amor *agape*?". Pedro responde: "Sim, Senhor, tu sabes que te amo com amor *phileo*". A segunda pergunta segue o mesmo enredo. Na terceira, o Senhor pergunta se o amor é *phileo*, e Pedro concorda de maneira triste. Para cada ocasião que Pedro negou Jesus, o Mestre lhe proporcionou a mesma quantidade de oportunidades de responder reafirmando o amor.

O Mestre agiu dessa forma porque anteriormente Pedro havia dito que o amava incondicionalmente, que seria capaz de morrer por Cristo e que, mesmo que todos abandonassem o Senhor, ele nunca o faria. Jesus mostrou a Pedro que somente o amor *agape* é capaz de demonstrar verdadeiro sacrifício pelo próximo. Somente o amor divino pode nos levar a amar como Deus ama. A cura de todo trauma passa pela nossa compreensão do amor *agape*.

Pedro, tendo aprendido, sabiamente afirma que era capaz de ter somente o amor natural e fraternal. Contudo, na terceira pergunta, Jesus muda o termo amor de *agape* para *phileo*, e chega ao mesmo nível do sentimento do discípulo.

A Bíblia diz que Pedro ficou de certa forma "magoado" (Joao 21:17) com a mudança da pergunta. Entretanto, humildemente assume diante do Mestre que tipo de amor sentia. A maneira pela qual Jesus conduziu o diálogo não visava condenar ou entristecer ainda mais o futuro apóstolo, mas demonstrar que, mesmo com amor frágil e oscilante, Jesus possibilita novos recomeços. Em outras palavras, Cristo disse: "Pedro, eu conheço o seu

> **O Pai nos ama incondicionalmente, e Jesus é a personificação desse amor.**

coração e sei das suas limitações. Sei que agora você reconhece que não tem um amor tão forte como pensava. No entanto, vejo que hoje o seu coração não está mais rendido ao autoengano e que você reconhece as suas limita-

Jesus não descarta pessoas.

ções. Eu tenho o verdadeiro amor *agape* e não desisti dos meus planos para você".

Seres humanos comumente descartam pessoas por causa dos tropeços que elas come-tem. Traição, quedas ou palavras indevidas fazem que diversos semelhantes sejam deixados ao longo do caminho. Entretanto, Jesus não age dessa forma. Ele tem uma história a ser cumprida que depende exclusivamente do amor ágape. Não há nada que possamos fazer que aumente ou dimi-nua o amor que Deus tem por nós. O amor divino é imutável. Não importa o passado, o presente ou os erros e acertos futuros; a magnitude do amor do Criador por nós não muda. Desse modo, é preciso compreender que há sempre chance de recomeçar. Jesus disse ao entristecido Pedro: "Cuide das minhas ovelhas"; em outras palavras, "Siga em frente!", "Eu conto com você", "Não fique preso ao passado", "Hoje é um grande dia para recomeçar".

Não deixe o seu passado impedir você de recomeçar!

PRÁTICA 1
IDENTIFIQUE O TRAUMA

Pedro passou por um momento traumático significativo depois de negar Jesus e ver a crucificação. Quando passamos por um trauma, é normal que tenhamos pensamentos ou sentimentos que nos perturbam por meses ou anos. Dessa forma, alguém que ainda vive consequências de um trauma pode apresentar os seguintes sintomas:

Lembrar repetidamente	Ter memórias angustiantes e repetitivas. Ter pesadelos, sonhos agitados ou apresentar a sensação de que o trauma está acontecendo nova-mente (*flashbacks*).
Sintomas físicos	Diante da lembrança do evento traumático, é comum ter sintomas físicos como taquicar-dia, tremores, enjoos, cefaleia, aumento da ansiedade etc.

Evitação	Atitude voluntária de evitar lugares, pessoas ou atividades que remetam ao trauma. Alguns pacientes, por mecanismo de defesa mental, bloqueiam a memória do trauma e não conseguem lembrar bem o que ocorreu.
Agitação e piora do humor	O trauma pode, no longo prazo, tornar as pessoas mais irritadas, impacientes ou agitadas. São comuns problemas para dormir e dificuldade de concentração.
Emoções negativas	Podem ocorrer dificuldades de manter relacionamentos próximos, de confiar nas pessoas, medo, culpa, vergonha e até mesmo perda de prazer em viver.

▶ Você já viveu algum trauma que ainda afeta as suas emoções?

_____

_____

_____

_____

_____

▶ Anote dez palavras que vêm à sua mente quando você relembra o trauma.

_____

_____

_____

_____

_____

▶ O que esse trauma tem causado hoje?

_____

_____

_____

_____

_____

_____

▶ Escreva uma oração pedindo a Deus que o cure desse trauma. Inclua as dez palavras que você anotou.

_____

_____

_____

_____

_____

_____

_____

_____

_____

_____

_____

_____

PRÁTICA 2
ORAÇÃO

Senhor Jesus, diante de ti apresento o meu trauma [citá-lo] _____

_____.

Sei que por muito tempo pensei que ele já estivesse superado, mas percebo cada vez mais que ainda me incomoda, gera dores físicas e emocionais. Reconheço o teu poder para curar e proporcionar novos recomeços. Visita a minha mente, limpa-me das memórias do trauma. Não permitas que eu me lembre do que me causou a dor nem que essa memória me traga sentimentos ruins ou prejudique o meu viver. Fortalece-me para novamente viver sem restrições e encarar a vida sem medo ou receio de que voltem a acontecer. Não permitas que esse trauma siga me aprisionando ao passado. Amém.

PRÁTICA 3
LEITURA BÍBLICA

José, porém, lhes disse: "Não tenham medo. Estaria eu no lugar de Deus? Vocês planejaram o mal contra mim, mas Deus o tornou em bem, para que hoje fosse preservada a vida de muitos. Por isso, não tenham medo.

Eu sustentarei vocês e seus filhos". E assim os tranquilizou e lhes falou ama-velmente. (Gênesis 50:19-21)

Deus usou um grande trauma na vida de José para moldá-lo e cumprir nele os propósitos divinos. Muitas vezes, por causa do sofrimento e da dor que sentimos, pensamos que Deus nos abandonou. Contudo, os traumas podem fazer parte da vida daqueles para quem o Senhor tem muitos projetos. O trauma nos ensina e prepara o nosso coração para novos estágios no plano do Criador. Ser vendido como escravo, ser falsamente acusado de assédio e ir para a prisão foram situações intermediárias permitidas pelo Pai para que José se tornasse um grande administrador do Egito. Um aparente trauma aos olhos humanos pode ser uma rota de transformação de Deus.

DIA 20

O que Jesus fazia para organizar as emoções

> Tendo despedido a multidão, subiu sozinho a um monte para orar. Ao anoitecer, ele estava ali sozinho. (Mateus 14:23)

Um questionamento que me faço com frequência, por ser psiquiatra, é: "Como Jesus cuidava das próprias emoções?". Essa pergunta leva a outras: "O que ele fazia antes de tomar decisões importantes? Como buscava a vontade do Pai e aquietava o coração? Como encontrava direcionamento para a vida?". Ao tentar encontrar respostas, compreendi que existem curas e percepções adequadas da realidade que não são experimentadas em ambientes coletivos. Se, por um lado, o cristianismo nos convida insistentemente a nos reunir com os irmãos; por outro, alguns ensinamentos somente nos serão transmitidos no quarto secreto. Quando refletimos sobre o que Jesus fazia em momentos potencialmente depressivos, percebemos que obviamente ele orava. Contudo, é muito interessante perceber que Jesus tinha momentos recorrentes de solitude para orar.

Solitude é diferente de solidão. A solidão leva ao adoecimento emocional e aumenta a possibilidade de a pessoa desenvolver depressão e ansiedade. Pessoas com transtornos emocionais constantemente se sentem sozinhas ou desejam estar sós. É possível estar rodeado de pessoas e, mesmo assim, se sentir sozinho.

Entretanto, a solitude é completamente diferente e deve ser vista como uma disciplina espiritual importante. Para praticá-la, voluntariamente nos deslocamos para ficar a sós, sem distrações e com o máximo silêncio possível, a fim de buscar Deus por meio de outras disciplinas (oração, leitura bíblica etc.). A solitude é a terapia do silêncio e do distanciamento.

Vivemos em ritmo acelerado e somos chamados a estar constantemente conectados,

Solitude não é o mesmo que solidão.

tanto na vida real quanto nas redes sociais. A nossa cultura valoriza o fato de realizarmos muitas tarefas ao mesmo tempo. Pessoas agitadas e multifuncionais se destacam e se tornam exemplos a serem seguidos: "Queria ser como fulano, porque ele está sempre ligado e faz muitas coisas". Entretanto, Jesus intencionalmente saiu da agitação diversas vezes. O Senhor sabia que era necessário ficar em solitude diante do Pai para que o coração dele fosse sondado e direcionado adequadamente às decisões que precisava tomar.

É importante compreender isto: se Jesus, o Filho de Deus, orava e sabia da importância de estar a sós, nós também devemos fazê-lo. Diante das pressões que sofria, dos anseios do povo e das variadas expectativas criadas, o Mestre reservava momentos de solitude no cotidiano.

Solitude é reduzir o barulho e os estímulos externos para estar em condições de saber o que se passa no coração e ouvir o que Deus deseja compartilhar conosco. Esse é um remédio difícil para a vida agitada, mas imprescindível, porque, nos momentos a sós, Deus nos cura profundamente. A solitude é terapêutica ao nos permitir calibrar as emoções. No silêncio, quando estamos apenas nós e Deus, percebemos melhor o que há no íntimo e como podemos receber a graça e a misericórdia de que tanto precisamos para a restauração da mente. É incompreensível que não tenhamos momentos de solitude diários que nos tragam tamanha cura emocional.

Ao falar sobre a oração, Jesus nos ensinou a importância da solitude: "Mas, quando você orar, vá para seu quarto, feche a porta e ore a seu Pai, que está em secreto. Então seu Pai, que vê em secreto, o recompensará" (Mateus 6:6). Não se trata apenas de recompensas financeiras ou materiais, mas emocionais e espirituais. Jesus passava horas em solitude diante do Pai antes de tomar decisões importantes, como na ocasião em que escolheria os doze discípulos: "Num daqueles dias, Jesus saiu para o monte a fim de orar, e passou a noite orando a Deus. Ao amanhecer, chamou seus discípulos e escolheu doze deles, a quem também designou apóstolos" (Lucas 6:12,13).

▶ Procuramos pelo Senhor em solitude quando temos de tomar decisões importantes ou passamos por momentos difíceis? Diante da depressão, da ansiedade ou dos dias em que as nossas emoções fogem do controle, fugimos ou nos aproximamos mais de Deus em solitude?

_____

_____

_____

_____

_____

_____

Já presenciei muitos testemunhos de pacientes curados emocionalmente pelo Criador durante momentos de solitude. É um período no qual expressamos com palavras e gemidos ou silenciamos os sentimentos mais profundos do nosso coração diante de Deus.

O texto bíblico de Mateus 14:23 nos diz que, depois de fazer o grande milagre da multiplicação dos pães, Jesus subiu ao monte para orar sozinho, distante da multidão. A multidão estava perplexa com tamanho milagre. Jesus precisava calibrar o coração diante de Deus para não tomar nenhuma decisão precipitada e saber o que deveria fazer em seguida. Ele precisava da direção divina tanto nas fases difíceis quanto nos momentos em que aconteciam grandes milagres. Ele necessitava de direcionamento em solitude, como nós também precisamos.

Portanto, a solitude é uma disciplina essencial também nos dias em que tudo dá certo. Quando aparentemente se atinge o "auge" profissional ou espiritual, é extremamente importante refugiar-se no Pai, para que ele equalize e mostre exatamente quem somos. A solitude nos provê respostas para os dias bons e os dias ruins.

Jesus calibrava as emoções em momentos de solitude.

Creio que esses momentos eram muito necessários para Jesus porque as expectativas externas — busca das pessoas por resultado, anelos a respeito de ele ser o Messias — da multidão eram imensas para um ser humano. Jesus não pecou, mas, como homem, teve de lidar com sentimentos comuns a todos nós e poderia perder-se em decisões contrárias à vontade divina. Quando a multidão, eventualmente, acelerava processos ou criava grandes expectativas, ele se retirava para orar a sós. Então, para conhecer o coração do Pai, o Filho entrava em solitude. A busca a sós por orientação divina, para calibrar as emoções e ter o coração sondado pelas Escrituras diariamente, deve fazer parte do estilo de vida do cristão que deseja cura emocional.

Outro aspecto importante sobre a solitude é que ela nos fortalece espiritualmente. Marcos diz que, depois de ter realizado muitas libertações espirituais, Jesus acordou cedo pela manhã e foi a um lugar secreto para orar (Marcos 1:34,35). Na solitude com Deus, recebemos poder espiritual para vencer as guerras espirituais que constantemente vivemos, bem como temos força para superar os dias em que as nossas emoções distorcidas teimam em roubar-nos a fé e a identidade. A solitude nos prepara para novos dias por ser uma conexão espiritual que influencia a nossa vida emocional.

O exemplo de Cristo nos ensina, porém, que a solitude não é um momento de introspecção ou de busca interna por soluções. Atualmente, é comum escutarmos frases do tipo "Conheça o seu eu interior" ou "Libere a sua criança interior". Soluções humanistas querem nos vender a ideia de que a solitude e o silêncio são estratégias para o autoconhecimento. Jesus, por sua vez, nos move a fazer desse tempo uma oportunidade de conhecer mais o Pai, permitindo que ele nos mostre o que realmente há no nosso coração. Como dizem as Escrituras, o coração é enganoso, e só o Pai celestial é capaz de nos sondar e examinar precisamente (Jeremias 17.9,10).

> Solitude não é olhar para dentro de você; é olhar para Jesus.

Solitude é receber cura de Deus sem máscaras e sem achar que estão em si as soluções. É reconhecer com humildade que não conseguimos discernir com precisão o que realmente sentimos nem mesmo as nossas reais necessidades. É dizer ao Senhor que estamos ali, a sós e totalmente dependentes dele, para sermos tocados, curados e direcionados emocional e espiritualmente.

Quando a multidão ao redor crescia, Jesus se retirava para um lugar deserto e ali orava. Ele não queria ser definido ou moldado pelos sentimentos dos homens. A identidade era forjada nos momentos a sós com o Pai: "E ele, estendendo a mão, tocou-lhe, dizendo: Quero, sê limpo. E logo a lepra desapareceu dele [...] A sua fama, porém, se propagava ainda mais [...] Ele, porém, retirava-se para os desertos, e ali orava" (Lucas 5:13,15,16).

A solitude é uma sessão de terapia com o próprio Deus. Você tem participado dessas sessões? É hora de começar!

PRÁTICA 1
EXERCITE A SOLITUDE POR SETE DIAS

► Reserve quinze minutos do dia e vá a um local onde ninguém possa incomodá-lo. Anote a seguir cinco áreas da sua vida que você mais precisa que Jesus reorganize. Ore por todas elas.

_____

_____

_____

_____

_____

PRÁTICA 2
LEITURA BÍBLICA

Mas, quando você orar, vá para seu quarto, feche a porta e ore a seu Pai, que está em secreto. Então seu Pai, que vê em secreto, o recompensará. (Mateus 6:6)

PRÁTICA 3
ROTEIRO PARA MEDITAÇÃO CRISTÃ

A solitude pode ser acompanhada de momentos de meditação, nos quais desligamos a mente e ficamos em atenção plena ao que se passa dentro de nós enquanto desfrutamos da companhia de Deus. Não é algo místico ou que gere conflito com a fé. Meditar é bíblico e podemos usar essa estratégia para melhorar a nossa saúde emocional.

Meditação é o trabalho de sair do passado, abandonar o futuro e as fantasias e encontrar serenamente a realidade do presente — que também pode ser chamado de Reino de Deus —, no qual a presença divina está em você: "Porque o Reino de Deus está _dentro_ de vocês" (Lucas 17:21, cf. nota de rodapé; grifo nosso). Para isso, precisamos aprender a aquietar-nos. Aquietar-se seria o convite à meditação e a permanecer em paz por mais tempo.

Costumamos pensar que meditação é algo que fazemos com a mente. Contudo, meditar envolve todo o ser — corpo, mente e espírito. Dessa forma, a posição que você escolhe é importante, pois o corpo está envolvido no ato de meditar. Assentar-se com a coluna reta, de forma atenta e confortável, é o primeiro passo. A quietude do corpo contribui para a quietude interior.

Você pode ou não fechar os olhos, mas o convite será sempre para observar o seu interior.

Ao olhar para dentro, apesar de o corpo estar quieto, vamos deparar com uma infinidade de pensamentos, o que é desencorajador para muitas pessoas. Entretanto, não é um elemento que impede a qualidade da meditação. Pelo contrário, notar como a mente está pode tornar-se o objeto para a meditação. Três aspectos são importantes:

- A mente é um fluxo incessante de pensamentos (que não param e, diga-se de passagem, não vão parar) que faz parte da condição humana.
- Perceber o conteúdo dos pensamentos é uma importante fonte de autoconhecimento.
- A maneira de se relacionar com os pensamentos — que aparentemente atrapalham o momento de meditação — revela importantes padrões do relacionamento consigo mesmo, com o outro e com a realidade da vida. Talvez o padrão seja desistir, culpabilizar, distrair, controlar... e por aí vai.

Normalmente, ao perceber com curiosidade a mente, entenderemos a propensão que ela tem de nos conduzir a outros tempos e lugares. Pensando no passado, somos tomados por culpa, tristeza ou saudade. No futuro, a ansiedade pode ser a protagonista, mas, no futuro do pretérito ("seria assim"...), frustração. Essa tendência revela a dificuldade humana de encontrar alegria e paz. O convite é observar a mente e permanecer em silêncio interior, confiança, atenção e presença. Na prática, atentar para os pensamentos sem se engajar neles, para manter a atenção no presente, pois é o único momento que existe, o seu momento com Deus.

A pergunta mais comum em relação à meditação é: como acessar esse lugar onde Deus está? A resposta é que estamos perturbados ou distraídos pelos nossos fluxos incessantes de pensamentos, de modo que fica difícil discernir a presença do Senhor. É preciso distanciar-se um pouco do que está acontecendo lá fora e abrir espaço a um novo modo de ser e estar no aqui e agora.

Nessa ideia de fluxo do pensamento, proponho uma metáfora para melhor compreensão Imagine que a condição inicial de quem medita é semelhante a dirigir em uma via rápida. Você está em aceleração e mal consegue ver com clareza ao redor. O convite é para que, aos poucos, você se mude para uma pista de velocidade menor, entre em desaceleração e consiga parar, descer do carro e apenas observar o fluxo sem interagir com ele — nem acompanhar nem fugir —, apenas contemplar.

No lugar de observador, consegue-se perceber nuances: ouvir sons, contemplar a vida, adquirir uma nova perspectiva para perceber as coisas. Você já não estará ligado às circunstâncias terrenas, mas ao Espírito que habita e se relaciona com você em todas elas. Aprenderá a ir a esse lugar mais afastado do tráfego e mais próximo da consciência acerca de Deus.

Muitos não sabem como chegar ao outro lado dessa estrada. É preciso considerar que Deus, durante o processo de meditação, está no aqui e agora, então é nesse momento que permaneceremos diante dele. Tentaremos nos esquecer do passado e deixar de focar no futuro. É uma técnica simples que requer atenção, intenção e atitude gentil. Cada vez que a sua mente se distrair (pode ser um som, uma sensação corporal ou a própria respiração), volte intencionalmente a atenção para o que acontece aqui e agora. O retorno deve ser feito de forma amorosa que nos leve a praticar alguns atributos de Jesus — mansidão, gentileza, bondade, simplicidade etc. Dessa forma, trabalham-se alguns pontos importantes da formação espiritual:

- Tirar a atenção de si mesmo (não se apegar aos discursos mentais que tentam protegê-lo de alguma forma): "Deixar o eu para trás".
- Deixar as posses para trás (nada mais importa além de estar na presença do Pai).
- Praticar a bondade, a mansidão, a gentileza, conforme os ensinamentos de Jesus.

Ao finalizar o período de meditação, é comum ter a sensação de que nada aconteceu. Com essa informação, aprendemos outro aspecto fundamental: nunca medite querendo algo. Meditar não é barganhar com Deus, mas treinar uma nova postura diante da vida e abrir espaço interior para conscientizar-se da presença divina. Quando essa postura atenta, amorosa e de encontro com o Pai é cultivada, abre-se espaço para que o fruto do Espírito apareça na sua vida. Ao se permitir pacientemente treinar a meditação, você consegue atingir certo nível de quietude e experimenta a suficiência de Jesus.

Depois de atentar para essas observações, confira os passos para iniciar essa prática:

176 PSIQUIATRIA E JESUS

1. Procure um lugar confortável, onde você tenha privacidade, na medida do possível.

2. Assente-se de maneira confortável, mas mantenha a postura reta, como quem está atento ao que acontecerá a seguir. Cuide para não tensionar os ombros. Apoie suavemente as mãos sobre as pernas. Você pode escolher deitar se quiser, sem cruzar pés e braços, de modo que fique relaxado e aberto aos momentos posteriores.

Esses ajustes são uma forma de prepará-lo para a experiência de maior presença e atenção, tirá-lo do automatismo, da distração ou da situação vivenciada naquele momento. É um tempo de qualidade entre você e Deus. Certas postura e prontidão são necessárias para estar diante do Pai. A intenção é estar verdadeiramente presente. Deus está aí, ama e tem saudades de você. Que tal render-se?

3. Após os ajustes corporais, feche os olhos com o intuito de ajudar na concentração, assim como fazemos ao orar.

4. Observe internamente onde você está e como está. Direcione a atenção para o ambiente. De olhos fechados, atente aos barulhos ao redor, aos pontos de luminosidade, à temperatura, ao tamanho. Em seguida, comece a fechar o foco de atenção e a perceber a si mesmo nesse ambiente, os pontos de contato entre o seu corpo e a superfície que o apoia, e possíveis desconfortos. Você pode fazer ajustes corporais nesse e em qualquer outro momento, desde que de forma consciente.

5. Chegou o tempo de olhar para dentro. Talvez alguns pensamentos já tenham atravessado a sua mente na parte inicial; isso faz parte do processo. Olhar para dentro é um convite à infinidade dos acontecimentos. Sensações físicas, respiração, pensamentos, sentimentos e impulsos são os principais elementos com os quais você vai deparar. Para conseguir manter atenção no aqui e agora, você pode escolher um elemento e observá-lo com atenção. Para os iniciantes, começar com as sensações físicas ou a respiração é o mais recomendado. Para focar a atenção, escolha o lugar que funcionará como âncora. Cada vez que você se distrair com outros tempos e lugares ou entrar em estado intenso de pensamentos e julgamentos (o que é extremamente comum e esperado), apenas retorne ao local de âncora escolhido, sempre de forma gentil.

6. Permaneça em treinamento do foco da atenção por alguns minutos (você pode predeterminar um cronômetro com alarme, definindo quanto tempo quer ficar). Para os iniciantes, é indicado começar com três a cinco minutos e ir aumentando gradativamente, à medida que treinar mais.

Esses seis passos serão fundamentais para o cultivo do novo estado mental: mais consciente, calmo e presente. São passos iniciais que funcionam como treinamento da atenção. O cérebro tem uma capacidade de focar a atenção que pode ser desenvolvida cada vez que nos assentamos e seguimos a sequência. Há diversos estudos que comprovam alterações estruturais em diversas regiões do cérebro relacionadas à aprendizagem, à memória, ao foco, ao estresse, à reatividade e ao ganho de perspectiva. Esses estudos revelam que as alterações podem ser percebidas após oito semanas de treinos diários.[1] Portanto, indica-se que a meditação seja uma atividade diária e um hábito de higiene mental.

Após o treinamento, você estará mais consciente, calmo e presente para perceber as nuances da vida e especialmente de Deus. Terá saído da agitação e distração. Estará mais disponível para o momento de solitude com Deus, que é o seu lugar de afeto e relacionamento com o Pai. Em seguida, indico que faça um devocional como de costume. Permaneça com a ideia da presença e da atenção também durante esse tempo. Sugiro que você leia a Bíblia e se atenha a um ou dois versículos que falem ao seu coração. O convite é para meditar em um aspecto e perceber como o versículo conversa com você e com o seu momento de vida. Depois, inicie um diálogo com o Senhor e contemple a bondade e a fidelidade dele ao falar com você hoje. Que tal começar agora?

▶ Faça anotações de como você se sentiu durante todo o processo da meditação.

_____

_____

---

[1]Alguns dos estudos sobre o tema são: (1) Lardone, A. et al. "Mindfulness meditation is related to long lasting changes in hippocampal functional topology during resting state: a magnetoencephalography study", *Neural. Plast.*, 18 dez. 2018; (2) Guidotti,R. et al. "Neuroplasticity within and between functional brain networks in mental training based on long-term meditation", *Brain Sci.*, 2021.

_____

_____

_____

_____

_____

_____

_____

_____

_____

_____

DIA 21

Não viva um TDAH espiritual

> Caminhando Jesus e os seus discípulos, chegaram a um povoado onde certa mulher chamada Marta o recebeu em sua casa. Maria, sua irmã, ficou sentada aos pés do Senhor, ouvindo a sua palavra. Marta, porém, estava ocupada com muito serviço. E, aproximando-se dele, perguntou: "Senhor, não te importas que minha irmã tenha me deixado sozinha com o serviço? Dize-lhe que me ajude!". Respondeu o Senhor: "Marta! Marta! Você está preocupada e inquieta com muitas coisas; todavia apenas uma é necessária. Maria escolheu a boa parte, e esta não lhe será tirada". (Lucas 10:38-42)

Várias passagens nos Evangelhos capturam a atenção de um médico psiquiatra. A história de Marta e Maria é uma delas. Eu me identifico muito com Marta, sobretudo por ter Transtorno do Déficit de Atenção e Hiperatividade (TDAH) desde a infância e ser "inquieto com muitas coisas". Como a maioria da população não conhece o transtorno, usaremos como base esse trecho bíblico para apresentá-lo. De antemão, enfatizo não ser possível considerar Marta portadora de TDAH, ainda que ela possa apresentar alguns sintomas. Apenas se pudéssemos entrevistá-la é que poderíamos fazer uma afirmação tão precisa. Contudo, o episódio traz grandes aprendizados. Antes, compreendamos o que é TDAH.

O Transtorno do Déficit de Atenção e Hiperatividade é um dos transtornos mentais mais comuns e atinge cerca de 5% da população. As principais características do quadro são:

- Desatenção;
- Impulsividade;
- Hiperatividade (ou inquietude).

Não é necessário ter hiperatividade ou impulsividade para se enquadrar no diagnóstico. Dessa forma, algumas pessoas apresentam o que chamamos de DDA (Distúrbio do Déficit de Atenção sem Hiperatividade). Apesar de divergências na literatura, a maioria dos estudiosos defende que o TDAH apresenta sintomas desde a infância. Os doentes costumam apresentar os seguintes comportamentos:

- Ter dificuldade em prestar atenção em detalhes e tarefas.
- Parecer não escutar quando se fala diretamente com a pessoa.
- Ter dificuldade para seguir instruções ou problema para terminar as tarefas do dia a dia.
- Ser desorganizado ou ter dificuldades em se organizar.
- Perder coisas necessárias para fazer tarefas do dia a dia com muita frequência, por esquecimento de onde estão os objetos.
- Distrair-se facilmente por estímulos externos.
- Ter dificuldade em ficar sentado em lugares como salas de aula ou recepção.
- Correr ou subir a lugares ou coisas com excesso.
- Ter dificuldade para brincar calmamente. Gostar de brincadeiras aceleradas.
- Falar muito, explodir em respostas antes de as perguntas serem completadas.
- Não conseguir facilmente esperar a sua vez e interromper os outros, parecendo não ter educação.
- Responder, por vezes, de maneira mais impulsiva quando confrontado.

Existem três tipos de TDAH: desatento, hiperativo/impulsivo e combinado. Resumirei as principais características dos dois primeiros.

TDAH do tipo desatento

- Tem dificuldade para manter a concentração durante muito tempo em um assunto específico. Além disso, pode ser facilmente distraído por qualquer estímulo externo.
- Erra muito por falta de atenção em relação ao que faz.
- Evita atividades que exijam grande esforço mental.
- Muitas vezes, esquece o que ia falar.
- Tem dificuldade para se organizar com a gestão do tempo e, além disso, com objetos.
- Tem o hábito de perder coisas importantes no dia a dia.
- Não ouve quando é chamado, pode ser considerado desinteressado ou egoísta.

TDAH do tipo hiperativo/impulsivo

- É inquieto, não consegue ficar parado. Tem mania de mexer mãos e pés quando sentado e não consegue ficar em um só lugar por muito tempo.
- Tem tendência a vícios: jogos, álcool, drogas e outros.
- Não sabe lidar bem com as frustrações.
- Costuma ter temperamento explosivo.
- Frequentemente muda de planos de uma hora para outra.
- Realiza mais de uma atividade ao mesmo tempo porque não gosta de tédio.
- Muitas vezes é considerado imaturo.
- Tem dificuldade de se expressar: a fala não acompanha a velocidade dos pensamentos.

Obviamente, todo diagnóstico de TDAH, assim como de qualquer transtorno mental e doença física, exige consulta médica especializada. No entanto, acredito que o conhecimento adequado de determinados transtornos mentais pode ajudar muitas pessoas a compreenderem a necessidade de procurar ajuda médica e psicológica.

Ao falar desse transtorno específico, é importante saber que os enfermos constantemente se sentem culpados porque a mente divaga com grande frequência, até mesmo durante o culto. No ambiente eclesiástico, talvez não se lembrem facilmente do sermão, de nomes etc.; podem esquecer-se de reuniões às quais deveriam comparecer. Além disso, costumam se atrasar com mais regularidade para as atividades, o que pode ser visto como desleixo para com as coisas espirituais. Assim como ocorre com pacientes com depressão e ansiedade, pacientes com TDAH podem sofrer com vários julgamentos descontextualizados nas comunidades locais.

Você talvez esteja questionando a relação dessas informações com o texto bíblico de Marta e Maria.

Jesus nos fala a respeito da inquietude e da necessidade de escolhermos a melhor parte na vida espiritual. Obviamente, se você se identifica com as características que acabamos de apresentar e pensa ter TDAH, procure ajuda médica.

Abordaremos neste capítulo o que chamamos de "TDAH espiritual".

> **Temos de saber escolher a melhor parte para manter a nossa vida emocional saudável.**

O TDAH espiritual tem como característica excessivas doses de Marta e poucas de Maria. Apesar de Marta geralmente ser depreciada nessa passagem, esse não me parece ser o caminho do evangelho de Jesus. Essa informação é relevante porque, ao longo da história, Deus usou pessoas com personalidades diversas. O Senhor não quer que tenhamos um único padrão. Qualquer espiritualidade que tente formatar as pessoas segundo um padrão terá como consequência pessoas doentes e privadas da verdadeira identidade. Logo, tanto Marta como Maria eram igualmente amadas por Jesus; cada uma com padrões comportamentais próprios.

Marta era inquieta, agitada e, às vezes, impulsiva. Possivelmente era o tipo de pessoa que falava o que vinha à mente sem filtros. Talvez realmente tivesse TDAH. Já Maria era mais contemplativa, quieta e sossegada, e provavelmente sentia mais do que conseguia expressar com palavras. Diante da morte de Lázaro, sabendo que Jesus estava chegando, Marta saiu ao encontro do Mestre, mas Maria ficou em casa (João 11:20).

É delicioso ver os detalhes do diálogo que o Senhor teve com Marta naquela ocasião. Aparentemente, ela falava o que surgia na mente sem pensar muito. Era intensa. Lembremo-nos do que ela disse no túmulo: "Senhor, ele já

> **Milagres acontecem diante de inquietos e de calmos.**

cheira mal". A intensidade dela é criticada por alguns, mas essa característica a fez participar de todos os momentos do milagre da ressurreição do irmão.

Jesus tinha amigos de diferentes temperamentos e personalidades. Ele soube compreender e acolher cada um com suas particularidades. De certa forma, pode-se dizer que o Mestre entende como nos relacionamos com ele de acordo com a nossa estrutura emocional. O Senhor sabe nos filtrar e separa o que em nós é genuinamente espiritual e o que procede da nossa estrutura psicológica (com suas belezas e imperfeições). Se estivesse na terra nos nossos dias, Cristo compreenderia e usaria muitas pessoas com TDAH.

É oportuno pensar no Filho desta forma: um terapeuta que reserva lugares a pessoas distintas na participação de um milagre. Contudo, no texto ele apresenta um grande ensino a Marta, que serve de exemplo a todos nós que queremos ter as emoções curadas aos pés do Mestre.

Marta permitiu que a ansiedade e o zelo em oferecer uma boa hospedagem a Jesus lhe roubassem a atenção do que era mais importante. Ela estava agitada de um lado para outro, com "muitos serviços". Estava mais preocupada em fazer algo *para* Jesus, ao passo que Maria estava focada em fazer algo *com* Jesus.

> É melhor fazer coisas *com* Jesus do que fazê-las *para* ele.

Muitas vezes, agimos da mesma maneira. Ocupados demais com as demandas do dia a dia, não nos permitimos ter momentos de intimidade com o Senhor. É interessante que frequentemente abandonamos o lugar de filhos para nos tornarmos "executivos de Deus".

Em todos estes anos de consultório, pude atender um grande número de pessoas adoecidas por tornarem o ministério uma tarefa extremamente operacional e mecânica. Cada um desses pacientes roubou de si mesmo diversas oportunidades de receber a cura de Jesus. O ministério e as atividades eclesiásticas podem, ao contrário do que geralmente se pensa, ser fonte de adoecimento físico e mental. Marta se empenhava em servir ao Senhor de maneira "executiva", mas essa não era a prioridade do Mestre.

Em alguma proporção, todos são como Marta. É tentador achar que seremos mais aceitos por Deus por fazer coisas para ele. Contudo, o que o Senhor de fato deseja é ter intimidade conosco. Ao prosseguir na vida aceleradamente, corremos o risco de enfrentar quadros de *burnout* espiritual, nos quais a espiritualidade que tentamos aperfeiçoar se torna o nosso grande algoz emocional. É preciso avaliar constantemente se o nosso relacionamento com Jesus se caracteriza excessivamente como o ciclo de Marta, o TDAH espiritual.

Marta estava agitada e ocupada demais. Talvez hoje ela fosse uma vítima fácil da sociedade do cansaço e do esgotamento. Em consequência da agitação e da ocupação, aparentemente faz uma pergunta irritadiça a Jesus: "[...] Senhor, não te importas que minha irmã tenha me deixado sozinha com o serviço? Dize-lhe que me ajude!" (Lucas 10:40). Ela esperava que ele, como resposta, exortasse Maria duramente, mas o que aconteceu foi o contrário: o Mestre admoestou Marta por não estar na mesma posição de Maria.

Maria desejava muito receber de Cristo; Marta queria muito servi-lo. Quando o tema é Jesus, a nossa principal preocupação deve ser receber gratuitamente o que ele nos oferece. Assim, a parte de Marta não era necessariamente errada; apenas não era a melhor. A vida cristã também envolve disciplina e esforço direcionados às coisas do Reino. O texto que se refere a esse assunto não serve, de maneira alguma, de álibi aos cristãos relapsos ou preguiçosos em relação à vida espiritual.

R.C. Ryle, comentando essa preciosa passagem, nos diz sabiamente:

> O erro de Marta deve ser um aviso constante a todos os crentes. Se desejamos crescer na graça e desfrutar prosperidade em nossa alma, devemos ter cautela quanto aos cuidados com as coisas deste mundo. A menos que vigiemos e oremos, tais cuidados destruirão nossa espiritualidade, fazendo definhar nossa alma. O que leva os homens à ruína eterna não é apenas o pecado visível ou as transgressões flagrantes dos mandamentos de Deus; com mais frequência, é a excessiva atenção a coisas que, em si mesmas, são lícitas e o ficar inquieto e ocupado em muitas tarefas. Parece correto trabalharmos pelas coisas de que necessitamos e bastante apropriado atendermos aos deveres de nossa própria casa. É nisso que se encontra o perigo. Nossa família, nossos negócios, profissão, afazeres domésticos e relacionamentos na sociedade — tudo isso pode tornar-se uma armadilha para nosso coração e afastar-nos do Senhor. Podemos ir para o abismo do inferno em meio à realização de coisas lícitas.[1]

O ritmo acelerado e estressante adoece.

Em psiquiatria, também é semelhante. Atividades prazerosas também podem adoecer.

Ao contrário do que diz o senso comum, a maioria dos casos psiquiátricos atendidos em consultório não é de pacientes com genética para transtornos

---

[1] Ryle, J. C. *Meditações no evangelho de Mateus*. 2. ed. São José dos Campos: Fiel, 2018, p. 272.

mentais, mas de pacientes vítimas de um ritmo de vida acelerado que inverteram as verdadeiras prioridades. Não há como começar uma jornada de cura das emoções sem ajustar as prioridades.

Há alguns anos, passei por um período de estresse e sobrecarga emocional significativo. Simone, minha esposa, e Tiago, o nosso filho mais velho, ficaram doentes quase no mesmo período, e os cuidados com eles me deixaram em profunda exaustão. Esse cenário, somado às demandas do consultório, roubou progressivamente o meu tempo com Deus e tornou a minha fé excessivamente operacional e protocolar. Entretanto, também fui levado a reorganizar a vida. Percebi que deveria escolher a melhor parte para, de fato, obter cura emocional. Assim, decidi reorganizar totalmente a minha agenda, de modo que eu tivesse um período diário para estar no lugar mais importante: aos pés de Jesus.

Essa decisão mudou a minha vida, a minha rotina de atendimentos e trouxe grande quietude ao meu coração. De fato, apenas uma coisa era necessária, e eu não a estava pondo em prática.

É preciso estar aos pés de Cristo para aprender o que realmente importa. Inverter os fatores nos levará a um resultado negativo, que pode ser o TDAH espiritual e o *burnout*.

PRÁTICA 1
QUEM É VOCÊ: MARTA OU MARIA?

▶ Você tem conseguido ser Maria na sociedade que valoriza "Martas"? O que o impede de estar mais perto de Jesus? Escreva a seguir os motivos de você não escolher a melhor parte.

_____

_____

_____

_____

_____

_____

_____

▶ Descreva a sua relação com Deus. Você se considera filho ou executivo dele? A sua fé é leve, ou a sua espiritualidade é uma carga e tornou-se um fardo emocional?

_____
_____
_____
_____
_____
_____
_____
_____
_____

▶ Sabendo que a melhor parte é estar aos pés de Jesus, como você poderia reorganizar a sua agenda e as suas prioridades para estar ali? O que pode ser feito hoje para mudar esse cenário?

_____
_____
_____
_____
_____
_____
_____

▶ Você conseguiria dedicar hoje meia hora do seu dia para estar exclusivamente com Cristo em oração e leitura bíblica? Qual será o horário estabelecido? Agende a seguir os seus encontros com o Senhor para os próximos sete dias.

_____
_____
_____
_____
_____

PRÁTICA 2
LEITURA BÍBLICA

Eis que estou à porta e bato. Se alguém ouvir a minha voz e abrir a porta, entrarei e cearei com ele, e ele comigo. (Apocalipse 3:20)

DIA **22**

Aprenda a hackear a sua mente com a Palavra de Deus

As palavras que eu disse são espírito e vida. (João 6:63)

Pois a palavra de Deus é viva e eficaz, e mais afiada que qualquer espada de dois gumes; ela penetra até o ponto de dividir alma e espírito, juntas e medulas, e julga os pensamentos e as intenções do coração. (Hebreus 4:12)

Para vencer o Diabo durante a tentação no deserto, Jesus usou como arma a Palavra de Deus. Ele não recorreu a frases de efeito nem a discursos motivacionais típicos da nossa era, tão marcada por soluções mágicas ou extraordinárias. A cultura do hiperfoco e da hiperprodutividade tornou-se praticamente uma religião, na qual há uma infinidade de soluções oferecidas no mundo virtual para melhorar o desempenho do cérebro e sua potencialidade. O grande anseio do homem moderno é ter a mente equilibrada, capaz de produzir mais e melhor em menos tempo.

Nesse contexto, é muito interessante a discussão sobre estratégias chamadas *neurohacking*. Em computação, o termo hackear nem sempre é empregado no sentido negativo, uma vez que um sistema pode ser invadido

188 PSIQUIATRIA E JESUS

também para ser aperfeiçoado. Além disso, o substantivo *hack*, em inglês, pode ser traduzido por "gambiarra", aquela solução improvisada e criativa usada para resolver um problema. Desse modo, o *neurohacking* seria um conjunto de estratégias que podem elevar o potencial da mente humana, aumentar a capacidade cognitiva (memória, concentração etc.), possibilitar maior consciência sobre as emoções e permitir novas experiências.

Para serem alcançados, tais objetivos demandam várias metodologias. O mais importante a ser compreendido é que os métodos variam desde práticas de hábitos até tentativas de, no futuro, estimular a mente humana por meio de microchips de nanotecnologia. Muitas são as pesquisas em desenvolvimento sobre o assunto.[1]

Apesar de o termo *neurohacking* ser muitas vezes visto com desdém, pode ter grande utilidade. De fato, a maior parte dos estudiosos do assunto aposta que a mudança de hábitos é a maior estratégia de melhora do uso e do aproveitamento do cérebro.[2] Já está bastante comprovado pela medicina que o meio e as experiências externas causam influências no cérebro e vice-versa. Também sobram trapaças e promessas sem nenhum cunho científico na internet sobre o assunto, desde a venda de aparelhos inúteis até o uso de medicamentos sem eficácia. Além disso, é assustador o número de gurus que prometem hackear o cérebro em uma única sessão.

> O seu cérebro pode mudar muito mais do que você pensa.

Conforme tratado no início deste livro, sabemos que o cérebro humano se transforma e se modifica ao longo da vida, até mesmo na fase adulta, por meio da "renovação da nossa mente" (Romanos 12:2). O termo científico para descrever essa mudança e adaptação cerebral é "neuroplasticidade". Todas as estratégias de *neurohacking* disponíveis têm como via última operar mudanças no cérebro por meio da neuroplasticidade.

---

[1] Algumas das pesquisas são: (1) Kumar, A. et al. "Nanotechnology for neuroscience: promising approaches for diagnostics, therapeutics and brain activity mapping", *Adv. Funct. Mater.*, 19 out. 2017, n. 27 (39); (2) Teleanu, D. M. et al. "Impact of nanoparticles on brain health: an up to date overview", *J. Clin. Med.*, 27 nov. 2018, n. 7 (12), p. 490.

[2] Alguns dos estudos disponíveis são: (1) Dresler, M. et al. "Hacking the brain: dimensions of cognitive enhancement", *ACS Chem. Neurosci.*, 20 mar. 2019, n. 10 (3), p. 1137-48; (2) Wexler, A. "The social context of 'do it yourself' brain stimulation, Neurohackers, biohackers, and lifehackers", *Front Hum. Neurosci.*, 10 maio 2017, n. 11, p. 224.

Quando eu estava na faculdade de medicina, no início dos anos 2000, era comum escutar que as células nervosas não sofriam muitas alterações na vida adulta e que o cérebro tinha poucas possibilidades de alteração. No entanto, com os estudos sobre neuroplasticidade, os cientistas descobriram que o cérebro se transforma de inúmeras maneiras, podendo criar sinapses (conexões entre os neurônios) e até mesmo reconstruir células nervosas.[3]

Dessa forma, a neuroplasticidade é definida como a capacidade do cérebro humano de se reprogramar e sofrer mudanças de estrutura. O sistema nervoso central consegue aprender, adaptar e ativar áreas (ou inibir outras) de acordo com estímulos externos. Para melhor compreensão, é preciso entender que os neurônios se comunicam uns com outros por meio de sinapses. É como se os neurônios falassem uns com os outros para enviar ou receber mensagens e para processar e consolidar informações, conceitos, memórias etc.

Você já se perguntou como o cérebro registra as informações? Pense em um computador muito potente no qual são instalados vários arquivos. O cérebro humano é muito mais complexo. Nele, os arquivos também se conectam uns com os outros, formando frases, ideias, sentimentos etc. Por exemplo, pense em uma memória específica. Uma simples recordação é formada por conexões entre os neurônios — ligados por pontos (sinapses) —, os quais possibilitam que a lembrança seja armazenada na mente. Pela biologia, a mente e a personalidade são formadas por conexões neuronais que sofrem influência da genética e de aprendizados ao longo da vida.

Os hábitos modificam os seus neurônios.

O padrão de sinapses e a organização dos neurônios sofrem constante alteração por meio de mudanças na maneira de pensar, da interação com o meio ambiente, do estresse etc. Logo, o nosso cérebro muda diariamente em resposta ao nosso estilo de vida.

Essa plasticidade neural permite que novas sinapses sejam realizadas, modificando a rede de comunicação entre os neurônios. Hoje se sabe que a psicoterapia é capaz de produzir novas sinapses no cérebro e fazer mudanças estruturais significativas. É muito interessante como até o que falamos ou pensamos altera o nosso funcionamento cerebral.

---

[3]Estão disponíveis estudos sobre neuroplasticidade de: (1) Voss, P. et al. "Dynamic brains and the changing rules of neuroplasticity: implications for learning and recovery", *Front. Psychol.*, 04 out. 2017, n. 8, p. 1657 ; (2) Shaffer, J. "Neuroplasticity and clinical practice: building brain power for health", *Front Psychol.*, 26 jul. 2016, n. 7, p. 1118; (3) Mateos-Aparicio, P., Rodríguez-Moreno, A. "The impact of studying brain plasticity", *Front. Cell. Neurosci.*, 2019.

A neuroplasticidade é mais ampla na infância, período de grande multiplicação celular no cérebro e formação diária de milhões de sinapses novas. Contudo, não deixa de existir até mesmo em pessoas idosas. O DNA dos neurônios "escuta" atentamente tudo o que acontece ao redor e muda a expressão genética em resposta aos estímulos ambientais. A forma de fazer é mudando as sinapses.

As emoções, por sua vez, são inicialmente formadas com os neurônios que fazem sinapses ao estruturar conceitos (os neurônios conversam entre si e registram informações no cérebro). Depois, os conceitos se agrupam e geram ações no cérebro (muitas já previamente programadas) que culminam em sensações que serão traduzidas por emoções. Dessa forma, os conceitos e instalações no cérebro podem ser modificados por diversos processos externos.

Possivelmente, essas informações levem você a questionar qual é a relação entre elas, a Bíblia e a fé cristã. São muitas. Devemos ter ciência de que, quando lemos as Escrituras Sagradas, estamos sendo submetidos a uma forma de *neurohacking* divino. O nosso cérebro é modificado por meio da neuroplasticidade. Conforme dissemos, certamente uma parte da nossa natureza é espiritual, mas é muito importante compreender que os nossos pensamentos podem ser modificados e a forma de expressar as nossas emoções também. Afinal, os pensamentos são processados biologicamente.

A principal ferramenta divina para que o *hack* funcione é a leitura das Escrituras, o que torna essencial o texto que abre este capítulo, pois a igreja nunca foi tão facilmente seduzida por estratégias humanistas que prometem a modificação da mente.

Em primeiro lugar, o autor de Hebreus nos diz que as Escrituras são vivas. Nenhum livro ganhador do Nobel de literatura nem o melhor escritor de autoajuda serão capazes de produzir um texto que tenha vida em si mesmo. Quando lemos a Bíblia, é ela que nos lê. Logo, para um cristão, a Palavra não é apenas uma obra escrita por mãos humanas, mas inspirada pelo próprio Espírito Santo e promete ser capaz de tocar o nosso corpo, a nossa alma e o nosso espírito.

Assim, o texto bíblico é uma espada cortante que atinge estruturas que nenhum médico ou terapeuta será capaz de tocar. Há lugares dentro de nós, arranjos neurais e conceitos instalados que nunca poderão ser modificados ou acessados por técnicas ou engenharias humanas. Nesta era em que tantos cristãos lotam seminários de *coaching* em busca de soluções mágicas e na qual termos como *neurohacking* fazem sucesso dentro das igrejas, pouco se fala sobre o poder terapêutico da Palavra no coração humano.

A Palavra de Deus modifica o cérebro. A Bíblia é eficaz para modificar a nossa mente e cremos que, quando a mente é renovada pelo Criador, o cérebro também se modifica. A natureza biológica sofre influência da natureza espiritual, o que é um mistério belo e, ao mesmo tempo, extremamente empolgante. A vida espiritual modifica o cérebro e os pensamentos, principalmente por meio da leitura bíblica.

A Palavra não volta vazia, mas produz frutos e progressivamente nos transforma, ao modificar a nossa forma de pensar e remodelar-nos a mente.

Não encorajo você a que deixe de ler livros, de participar de seminários ou de aprender técnicas e ferramentas úteis para o seu crescimento físico, emocional e espiritual. Entretanto, as Escrituras devem ser concebidas como a ferramenta mais penetrante, capaz de julgar "os pensamentos e as intenções do coração".

A Bíblia faz uma verdadeira varredura na nossa natureza biológica e emocional, provocando mudanças de pensamento. Ela vai às profundezas da nossa alma (mente, vontade, emoções, personalidade), sonda todas as coisas, corrige o que é necessário e aponta soluções. Não tenho nenhuma dúvida de que ela promove neuroplasticidade na mente de quem se dedica apaixonadamente à sua leitura diária.

Vejamos um exemplo. O salmo 1 nos fala do estilo de vida do homem "que prospera":

> Ao contrário, sua satisfação está na lei do Senhor, e nessa lei medita dia e noite. É como árvore plantada à beira de águas correntes: Dá fruto no tempo certo e suas folhas não murcham. Tudo o que ele faz prospera! (Salmos 1:2,3).

A ciência nos mostra que as mudanças provocadas por hábitos (por meio da neuroplasticidade) demoram determinado período para ocorrer. Contudo, a Palavra é viva. Memórias traumáticas, mecanismos de autossabotagem, conceitos distorcidos, percepções inadequadas e muitas outras dificuldades podem ser modificadas pelas Escrituras. Já ouvi uma imensidão de testemunhos sobre esse mecanismo tão misterioso na vida do cristão que se dedica à disciplina da leitura bíblica. A despeito de hoje a Bíblia ser vista como um livro ultrapassado, os cristãos devem manter a crença de que ela é viva, eficaz e penetrante para reorganizar a mente.

Para hackear a sua mente, comece permitindo que Deus mude a sua vida orando a Palavra. Aprendi anos atrás a orar textos bíblicos e a declará-los em oração. Não se trata de um mantra, mas da convicção de que o conteúdo é vivo e de que, quanto mais submetemos as nossas orações à verdade do Senhor, maior certeza teremos de que serão ouvidas. Orar o livro de Salmos, por exemplo, é altamente terapêutico. Não há nenhum espectro de emoções humanas que esteja ausente desse livro.

Quanto mais você se dedicar à leitura bíblica, progressivamente as suas emoções poderão ser transformadas, e você fará *downloads* espirituais da mente de Cristo. O propósito divino é que você pense e se sinta cada vez mais como Jesus.

PRÁTICA 1
ORANDO A PALAVRA

A Bíblia é viva e tem poder para transformar a nossa mente. Tenho aplicado esse princípio à minha vida, sobretudo nos últimos três anos, e obtido resultados terapêuticos na minha saúde emocional. Quanto mais praticamos, mais os pensamentos de Deus se tornam os nossos e maior a nossa certeza de que a oração é conforme a vontade do Pai.

Em primeiro lugar, para orar a Palavra, devemos basicamente ler ou recitar um trecho bíblico em espírito de oração com a Bíblia aberta. Assim, o texto lido se incorpora diretamente à nossa mente e inspira a nossa fala diante do Pai. Como aprendizado, sugiro começar pelo livro de Salmos, uma vez que a maioria de suas composições, em grande parte, são orações dirigidas ao Criador pelos salmistas e representam uma grande amplitude de emoções. Todas as vezes que estou cansado ou sem forças para orar, oro Salmos, e o Senhor traz verdades ao meu coração de maneiras diversas.

Antes de começar, peça a Deus que torne o texto bíblico vivo e eficaz, transforme o seu coração e lhe traga renovo espiritual. Uma boa oração introdutória seria:

> *Senhor Deus, torne a palavra que lerei uma espada cortante no meu coração. Que ela seja capaz de discernir pensamentos e intenções que estejam ocultos! Que as promessas bíblicas se realizem na minha vida e que o meu coração seja sondado e curado conforme o Senhor achar necessário!*

Depois, separe um tempo tranquilo e, com a Bíblia aberta, leia um salmo pausadamente. Em seguida, ore de maneira calma e tranquila, refletindo como o texto poderia aplicar-se à sua vida. De maneira simples, você se torna um "escritor/orador" das Escrituras e a lê com algumas adaptações (mudanças de pronomes etc.).

Segue um exemplo prático de como oro os quatro primeiros versículos do salmo 91:

> *Senhor, eu me escondo no teu esconderijo, e à sombra do Senhor, o Onipotente, eu descanso. Senhor, tu és meu Deus, meu refúgio, minha fortaleza, e eu posso confiar em ti. Livra-me das armadilhas e dos perigos mortais. Cobre-me com as tuas penas e que debaixo das tuas asas eu fique seguro. Que a tua verdade seja o meu escudo em cada área da minha vida (Salmos 91-1-4).*

► Escreva, em forma de oração, todo o salmo 91 na primeira pessoa do singular.

▶ Escreva a sua oração do salmo 86.

DIA 23

Conheça o Consolador

E eu pedirei ao Pai, e ele dará a vocês outro Conselheiro para estar com vocês para sempre, o Espírito da verdade. O mundo não pode recebê-lo, porque não o vê nem o conhece. Mas vocês o conhecem, pois ele vive com vocês e estará em vocês. (João 14:16,17)

O Espírito Santo tem um papel fundamental na cura e transformação das nossas emoções, mas pouco se fala sobre esse tema.

Antes de tudo, devemos compreender que o Espírito Santo é uma pessoa que habita em nós e tem sentimentos, conforme a Bíblia diz: "Não entristeçam o Espírito Santo de Deus, com o qual vocês foram selados para o dia da redenção" (Efésios 4:30) e "Acaso não sabem que o corpo de vocês é santuário do Espírito Santo que habita em vocês, que lhes foi dado por Deus, e que vocês não são de vocês mesmos?" (1Coríntios 6:19).

As Escrituras são enfáticas ao demonstrar o caráter pessoal do Espírito Santo e que ele habita nos seres humanos. Antes de ascender ao céu, Jesus disse que deixaria conosco o Consolador, o responsável por nos consolar, ensinar, guiar e possibilitar um conhecimento cada vez mais profundo direto do coração do Pai. Dessa forma, o Espírito Santo é consolador, como Jesus foi para os discípulos. O Espírito Santo é Deus, com as mesmas características do Pai e do Filho, com os quais forma a Trindade.

Imaginemos a personalidade de Jesus e o privilégio dos discípulos por terem convivido com ele: alegre, bem-humorado, acolhedor, manso, humilde

196 PSIQUIATRIA E JESUS

e cheio de compaixão. Estar com o Mestre era uma constante imersão de amor, ternura, alegria e consolação. O Senhor sabia que, sem um consolador como ele, os discípulos entrariam em um tipo de "abstinência e desamparo espiritual". Por isso, deixou a promessa de que o Espírito Santo viria para estar com eles até o fim.

Igualmente, o Espírito age conosco hoje tal como Jesus fez com os discípulos. Ele é o próprio Deus em nós. Já parou para pensar em quão profundo e confortante é essa verdade? Cristo foi amigo, intercessor, mestre e terapeuta. O Espírito Santo realiza essas funções dentro de nós.

Muitas vezes, estamos tão confusos ou com as emoções tão fragilizadas que não temos forças para orar e buscar ao Pai da maneira que necessitamos. Pessoas que enfrentam transtornos emocionais vivenciam essa vulnerabilidade. Nesses momentos, as Escrituras dizem que o Espírito Santo intercede por nós com gemidos inexprimíveis:

> Da mesma forma o Espírito nos ajuda em nossa fraqueza, pois não sabemos como orar, mas o próprio Espírito intercede por nós com gemidos inexprimíveis. E aquele que sonda os corações conhece a intenção do Espírito, porque o Espírito intercede pelos santos de acordo com a vontade de Deus (Romanos 8:26,27).

Ele constantemente chega a lugares que nenhum médico ou terapeuta poderá chegar, e leva as nossas reais necessidades ao Pai. Sim, podemos e devemos usar recursos médicos e psicoterápicos, mas sem ignorar o poder do Espírito Santo.

Não conseguimos saber o que se passa no nosso coração. De fato, a Palavra diz que o nosso coração é corrupto e que só Deus é capaz de conhecê-lo em plenitude. O Espírito, por sua vez, leva ao Pai as dores, as angústias e os sentimentos que precisam ser curados em nós. Muitas vezes, não temos a real dimensão dessa necessidade terapêutica: "E, porque vocês são filhos, Deus enviou o Espírito de seu Filho ao coração de vocês, e ele clama: 'Aba, Pai'" (Gálatas 4:6). Se o Espírito Santo leva o nosso coração a Deus, ele também traz o coração do Criador até nós, testifica que somos filhos amados do Pai celestial, que podemos vencer o pecado e estaremos para sempre com ele.

São impressionantes as grandes transformações emocionais que vemos em muitos pacientes depois que conhecem Cristo e quando o Espírito Santo passa a habitar dentro deles. Ter a convicção de que somos filhos amados de Deus é diariamente uma cura imensa para as nossas emoções. O Espírito é a vida de Deus em nós, uma tradução viva do amor e da compaixão dele. Progressivamente, as palavras de Jesus nos são ensinadas pelo Espírito, que as instala em nós para modificar a nossa mente e nos tornar progressivamente mais parecidos com o próprio Filho: "E todos nós, que com a face descoberta contemplamos a glória do Senhor, segundo a sua imagem estamos sendo transformados com glória cada vez maior, a qual vem do Senhor, que é o Espírito" (2Coríntios 3:18).

Tenho atendido muitos pacientes preocupados e angustiados quanto ao que acontecerá perto da volta de Jesus. Muitos, imersos em conteúdos apocalípticos sensacionalistas, não compreendem que se trata de um tempo de esperança, mas acreditam que será um tempo de angústia e sofrimento. Entretanto, o que ignoram é que teremos sempre o Espírito em nós, trazendo força, consolo e nos fazendo seguir adiante, mesmo em meio às tribulações.

Dessa forma, quanto mais conhecermos o Espírito Santo, mais seremos impregnados de ações terapêuticas que nos ajudarão a superar o constante estresse emocional a que estamos submetidos diariamente. Jesus sabia que não conseguiríamos viver sem o Espírito e, por isso, nos enviou "outro consolador". Imagine que você tenha um grande amigo sempre disposto a ajudá-lo e socorrê-lo nas horas mais difíceis. Ele também compreende todas as suas emoções e orienta você nas questões mais difíceis do seu dia. Quem não gostaria de ter um amigo assim? Infelizmente, muitas vezes ignoramos que já temos, como cristãos, o Espírito Santo. Passamos muitos momentos da caminhada cristã sem nos lembrar de que ele habita em nós e é o Consolador de que tanto precisamos. Devemos orar ao nosso Pai para que ele transforme nosso coração de maneira cada vez mais profunda por meio do Espírito.

Para muitos cristãos, o Espírito Santo é um amigo desconhecido, impessoal ou distante. Alguns se relacionam pouco com ele e passam dias sem se lembrar de sua existência. Oremos para que o Pai nos permita ser "cheios do Espírito": "Não se embriaguem com vinho, que leva à libertinagem, mas deixem-se encher pelo Espírito" (Efésios 5:18). O enchimento será real quando nos submetermos constantemente a Deus por meio da Palavra.

Quanto mais cheios do Espírito Santo estivermos, mais transformadas serão as nossas emoções, porque ele nos fará expressar os sentimentos e as atitudes do próprio Jesus: "Mas o fruto do Espírito é amor, alegria, paz, paciência, amabilidade, bondade, fidelidade, mansidão e domínio próprio [...]" (Gálatas 5:22,23). Devemos interceder incessantemente ao Pai para que, por meio do seu Espírito, faça desenvolver seu fruto de forma generosa em nós.

PRÁTICA 1
REFLETINDO SOBRE A PESSOA DO ESPÍRITO SANTO

▶ Como você entende o Espírito Santo hoje?

_____

_____

_____

_____

▶ Sabendo que o Espírito Santo é uma pessoa, escreva o que você diria a ele.

_____

_____

_____

_____

_____

PRÁTICA 2

▶ Considerando que o fruto do Espírito: "[...] é amor, alegria, paz, paciência, amabilidade, bondade, fidelidade, mansidão e domínio próprio [...]" (Gálatas 5:22,23), quais características você gostaria que o próprio Espírito Santo expressasse na sua vida?

_____

_____

_____

_____

PRÁTICA 3

▶ Escreva uma oração pedindo ao Pai que o fruto do Espírito seja produzido na sua vida.

_____

_____

_____

_____

_____

_____

_____

_____

_____

PRÁTICA 4
ORAÇÃO

Senhor Jesus, obrigado por ter me enviado o Espírito Santo. Abre os olhos do meu coração para conhecê-lo cada vez mais. Peço-te que me cures. Sei que não sou capaz de compreender de maneira precisa o que há no mais profundo do meu coração, mas o teu Espírito intercede por mim com gemidos inexprimíveis. Que o Consolador não seja apenas uma teoria para mim, mas um amigo próximo com quem eu tenha cada vez mais intimidade. Submeto hoje as minhas emoções, as minhas dores e o meu corpo aos cuidados do teu Espírito. Cura as minhas emoções em áreas em que eu talvez não tenha a consciência de que preciso ser curado. Que os frutos do teu Espírito possam mudar a minha mente e as minhas atitudes diante da vida! Amém.

DIA **24**

Morra para si mesmo

Jesus dizia a todos: "Se alguém quiser acompanhar-me, negue-se a si mesmo, tome diariamente a sua cruz e siga-me. Pois quem quiser salvar a sua vida a perderá; mas quem perder a sua vida por minha causa, este a salvará". (Lucas 9:23,24)

Se alguém vem a mim e ama seu pai, sua mãe, sua mulher, seus filhos, seus irmãos e irmãs e até sua própria vida mais do que a mim, não pode ser meu discípulo. E aquele que não carrega sua cruz e não me segue não pode ser meu discípulo. [...] Da mesma forma, qualquer de vocês que não renunciar a tudo o que possui não pode ser meu discípulo. (Lucas 14:26,27)

Como ser feliz?

Como ter uma vida plena?

Qual é o caminho para a autossatisfação?

As respostas de Jesus a essas perguntas foram na contramão do que se escuta atualmente até mesmo dentro das comunidades cristãs. Jesus propôs um único caminho como explicação: imitá-lo. De fato, somente é possível ver sentido na vida e descobrir a verdadeira felicidade quando se compreende o que Cristo disse a respeito da vida que vale a pena ter.

Quando questiono por que nunca tantos livros de autoajuda foram vendidos como nesta época, em que as pessoas são tão infelizes, compreendo que fomos ensinados a buscar poder dentro de nós e a entender o autoconhecimento como única forma de nos desprender do que nos aprisiona emocionalmente. Assim, proliferam discursos com frases de efeito, bem como o número de *coaches* que prometem um caminho fácil e linear para o bem-estar e a felicidade. O público busca uma fórmula mágica ou um guia de sete passos para ser feliz.

Paulo nos advertiu que isso ocorreria: "Pois virá o tempo em que não suportarão a sã doutrina; ao contrário, sentindo coceira nos ouvidos, juntarão mestres para si mesmos, segundo os seus próprios desejos" (2Timóteo 4:3). Há comunidades cristãs que já não ensinam a sã doutrina. Preocupadas em agradar aos seus clientes (membros e frequentadores), mudam o conteúdo das pregações, a liturgia do culto e até mesmo a maneira de os pastores se relacionarem com as ovelhas (alguns pastores passaram a ser chamados "mentores" ou "pais espirituais"). A maioria das pessoas gosta de ouvir que é especial, extraordinária ou que tem uma vida épica. Contudo, o caminho de Jesus é diametralmente oposto.

De fato, é um engano pensar que as estratégias de empoderamento humano e a busca desenfreada pelo autoconhecimento nos tornaram mais felizes. Enfatizo que esses movimentos produzem efeito contrário: geram pressão maior sobre as nossas emoções e nos deixam em uma posição de centralidade tóxica ao retirar de Deus o controle supremo e roubar nossa individualidade. Uma das características dos movimentos humanistas é criar regras que padronizem as pessoas.

Para o cristão, a felicidade não está dentro dele, mas em Cristo. Além disso, a felicidade não existe sem o pleno conhecimento do Mestre. Toda estratégia desvinculada desse saber apenas aumenta a ansiedade e torna as pessoas cada vez mais depressivas e frustradas. Quanto mais você achar que o poder está dentro de você e que você é o senhor do seu destino, mais rapidamente caminhará para o adoecimento emocional. É óbvio que o conhecimento secular nos ajuda de maneira significativa. Contudo, precisamos aprender com Jesus o caminho verdadeiro para ser discípulos; caso contrário, seguiremos o roteiro do adoecimento, não o da vida abundante (João 10:10).

Os fatores que nos levam como cristãos ao adoecimento emocional são a excessiva busca de soluções dentro de nós, a negligência quanto ao verdadeiro caminho do discipulado e o uso exacerbado de estratégias humanistas no lugar do verdadeiro poder do Espírito, que flui em nós pela submissão total a Cristo. Por isso, Jesus nos adverte: "quem quiser perder a sua vida a achará", apresentando-nos três caminhos necessários para uma vida significativa na perspectiva do Reino de Deus.

O *primeiro caminho* é o da capacidade de morrer para nós mesmos, o que não significa a anulação das nossas emoções ou da nossa personalidade. É uma abdicação da autoconfiança, do orgulho e da pretensão de sermos senhores do nosso destino. Quando deixamos o comando do barco para o Mestre, somos conduzidos à vida com pleno sentido. Em uma era de convites para sermos a melhor versão de nós mesmos e para ativar chaves mentais de êxito, o Senhor nos convida a fazer o oposto: morrer para a autoidolatria.

Quanto mais você pedir a Jesus para morrer para a autoidolatria e ele viver em você, maior será a paz divina que ultrapassa todo entendimento. Essa paz irradiará pelas suas emoções e lhe trará cura profunda de afetos e de toda a vida emocional. Paulo nos diz como era sua vida: "Fui crucificado com Cristo. Assim, já não sou eu quem vive, mas Cristo vive em mim. A vida que agora vivo no corpo, vivo-a pela fé no filho de Deus, que me amou e se entregou por mim" (Gálatas 2:20). O apóstolo compreendeu a mensagem do Mestre: é preciso morrer cada vez mais para si mesmo e viver para o Senhor, com o fim de conquistar a vida cheia de significado.

Muitos cristãos se encontram adoecidos do ponto de vista psicológico por causa de uma espiritualidade humanista que colocou o pesado fardo da busca de sentido no olhar para dentro de si mesmos. Inicialmente, pode até produzir resultados, mas chegará o momento em que apenas gerará frustrações ou aquele sentimento de que a fé não funciona, causando profundo esgotamento.

Já em Jesus, perdemos para ganhar, morremos para viver. Devemos orar para que ele mortifique o nosso ego e a nossa autossuficiência, de modo que a vida de Deus controle todo o nosso ser. Se optarmos por esse caminho de discipulado, viveremos progressivamente a vida que o Mestre viveu e teremos a plenitude inalcançável por métodos ou fórmulas humanos. Viveremos integralmente o que o Pai deseja que vivamos e encontraremos o verdadeiro sentido da vida.

O *segundo caminho* que Jesus nos ensina é que devemos ser capazes de tomar a nossa cruz. A cruz não consiste em problemas cotidianos comuns, como um casamento ruim, um filho problemático ou uma tentação recorrente. É muito mais que isso. Tomar a cruz é saber que, na nossa caminhada com o Filho de Deus, devemos estar dispostos a aceitar os sofrimentos decorrentes da nossa fidelidade a Cristo. A palavra "sofrimento" é malvista hoje. São preferíveis os termos "sucesso", "empoderamento" e "felicidade". No entanto, o discípulo deve compreender que, na jornada terrena, sofrerá por sua fidelidade ao Senhor e carregará uma cruz decorrente da escolha de segui-lo de todo o coração.

Ainda que seja questionado, o discípulo sabe que, se viver com os sofrimentos decorrentes de quem se submete totalmente a Cristo, terá como companhia a alegria imensurável do Espírito. Ao longo dos anos, uma grande quantidade de missionários e cristãos comuns viveu sofrimentos intensos por seguir Jesus. A maneira pela qual descreveram o consolo do Espírito Santo transcende toda a compreensão humana. Mesmo em meio à humilhação e à rejeição, valeu a pena. Novamente esse estilo de vida é uma antítese da nossa época, porque constantemente somos bombardeados com conceitos de que o cristão não sofre, está sempre feliz e nunca terá rejeições nem sofrimentos. Chegamos ao ponto em que se evitam determinados temas de pregação com o objetivo de não desagradar ou ofender o ouvinte. No entanto, no caminho do discípulo, a cruz sempre está presente.

Por fim, temos o *terceiro caminho* para viver uma vida plena: ser capaz de renunciar a tudo e seguir Jesus. A cultura secular insistentemente nos provoca a viver ao estilo "custe o que custar". Cristo, porém, nos convoca à renúncia. Perdemos para ganhar, morremos para viver. Deixamos de traçar o nosso roteiro pessoal para que o Mestre conduza a nossa vida. Assim, quanto mais perdemos da nossa vida, mais a vida do Senhor vive em nós e nos liberta dos dois maiores catalisadores do esgotamento emocional: excesso de autoajuda e espiritualidade centrada nas soluções pelo empoderamento humano. No Senhor, encontramos o verdadeiro descanso para a nossa alma (Mateus 1:28,29).

Para um cristão, a felicidade não é um lugar ao qual se chega, mas o caminho de imitação do próprio Cristo.

REFLEXÃO

Em Jesus, você deve perder a vida para ganhá-la.

VERSÍCULO PARA MEDITAR

Eu sou a videira; vocês são os ramos. Se alguém permanecer em mim e eu nele, esse dá muito fruto; pois sem mim vocês não podem fazer coisa alguma. (João 15:5)

DIA **25**

A teologia que adoece

PRÁTICA 1
IDENTIFIQUE FALSOS ENSINOS A RESPEITO DA VIDA CRISTÃ E DAS EMOÇÕES

Existem quatro vertentes teológicas que são totalmente contrárias ao caminho do discipulado proposto por Cristo. Se o discípulo deve morrer para si mesmo, tomar a cruz e seguir Jesus, as teologias humanistas tentam pôr o homem cada vez mais no centro de todas as experiências de fé.

1. Teologia da prosperidade

A teologia da prosperidade ensina que toda enfermidade é sinônimo de pecado ou falta de fé. Se estiver doente, literalmente você deve algo a Deus ou não plantou o suficiente no mundo espiritual. Essa teologia tem sido responsável pelo adoecimento de muitas pessoas. Uma vez que você está com depressão ou ansiedade, a culpa é integralmente sua por não ter sido capaz de conquistar a cura no mundo espiritual. Já escutei muitas vezes pessoas tristes no consultório por acharem que "Deus não funciona", uma vez que foram doutrinadas pelo ensino doentio da teologia da prosperidade.

2. Confissão positiva

A confissão positiva é uma doutrina teológica que ensina que o Criador age somente por meio das nossas ordens ou declarações verbais. Nela, devemos "gerar algo no mundo espiritual", e Deus se torna refém daquilo que declaramos. Essa doutrina é irmã gêmea da teologia da prosperidade, embora se mostre mais potente para agravar o estado emocional do cristão emocionalmente enfermo. Se a pessoa está doente, é porque não "declarou" a palavra com fé ou não soube ativar adequadamente a cura por meio da "oração eficaz".

A confissão positiva aumenta a ansiedade e é fonte da depressão de muitos cristãos, uma vez que põe sobre nós um peso emocional enorme, ao posicionar o ser humano como protagonista da cura. Você já ouviu alguma vez que a cura não ocorreu por não ter sido "gerada no mundo espiritual"? Pôr o ser o humano no lugar de Deus agrava as emoções cada vez mais. Como o método não funciona, o sentimento de fracasso é cada vez maior.

3. Teologia da autoestima

A teologia da autoestima tenta insistentemente aumentar a autoconfiança e a autoaceitação do ser humano. Sutilmente, o Senhor se torna apenas um terapeuta para curar feridas emocionais e deixa de ser o Criador todo-poderoso e Salvador. Nessa teologia, o centro nunca é a salvação; a ênfase é sempre melhorar a autoestima humana. Dessa forma, o evangelho passa a ser apenas um remédio para questões existenciais e emocionais, e não promove as verdades eternas.

Você já ouviu expressões como "Seja a melhor versão de si mesmo" ou "Empodere-se" dentro da igreja? É muito provável que sejam da teologia da autoestima. O grande problema é que ela não confronta os pecados nem leva ao arrependimento. O Pai torna-se alguém cuja única finalidade é nos proporcionar bem-estar e conforto emocional. Muitas palestras motivacionais são realizadas nas comunidades tendo como base essa teologia, cujo objetivo é ser um remédio temporário para questões eternas. Ela simplesmente não conduz à morte do eu diante de Cristo.

4. Teologia do *coaching*

Pegue as três teologias enfermiças anteriores e misture-as em um liquidificador. O resultado será a teologia do *coaching*. Nela, frases motivacionais e conceitos equivocados das neurociências são misturados com versículos bíblicos para produzir êxtase emocional em uma plateia ansiosa por discursos de bem-estar e felicidade. Ensina uma graça barata e também visa ao enriquecimento. Para não entristecer os fiéis, as reuniões são muito parecidas com encontros empresariais de motivação e carregadas de apelo emocional. As emoções são artificialmente manipuladas sem nenhum envolvimento real com o Espírito Santo. A teologia do *coaching* tem como destino a frustração emocional, a depressão e a ansiedade.

PRÁTICA 1

▶ Você já teve alguma experiência com as teologias expostas? Descreva um momento no qual você foi ferido "em nome de Deus" ou sofreu abuso espiritual por algum falso ensino teológico.

_____

_____

_____

_____

_____

_____

_____

PRÁTICA 2
DESCUBRA O SEU CONCEITO DE FELICIDADE

Jesus nos ensinou o caminho do discípulo para encontrar a verdadeira vida em abundância. Devemos confrontar os nossos conceitos sobre felicidade seculares com o que a Bíblia diz ser a verdadeira felicidade.

▶ Qual é a sua definição de felicidade?

_____

_____

_____

_____

_____

_____

_____

▶ Conforme a sua opinião, como a Bíblia define *felicidade*?

_____

_____

_____

▶ Jesus disse que cada pessoa deve negar a si mesma, tomar a cruz e segui-lo. Na sua opinião, a maioria das igrejas ensina corretamente o que é ser um discípulo de Cristo?

▶ Quais são os temas mais pregados ou ensinados na sua comunidade de fé? Nos últimos meses, você escutou mensagens sobre arrependimento, a volta de Jesus, a renúncia do ego ou sobre o sofrimento?

▶ O que você precisa mudar na sua vida para se tornar cada vez mais um discípulo de Jesus? Em que áreas você deve renunciar a algo?

PRÁTICA 3
ORAÇÃO

► Escreva uma oração a Deus pedindo-lhe que conduza você ao verdadeiro caminho do discipulado. Reflita sobre as áreas em que você precisa morrer para o eu, pense na cruz que deve suportar por servir a Cristo e na necessidade de segui-lo, custe o que custar.

DIA **26**

Descubra a felicidade segundo Jesus

Felizes os pobres de espírito, pois o reino dos céus lhes pertence.
Felizes os que choram, pois serão consolados.
Felizes os humildes, pois herdarão a terra.
Felizes os que têm fome e sede de justiça, pois serão saciados.
Felizes os misericordiosos, pois serão tratados com misericórdia.
Felizes os que têm coração puro, pois verão a Deus.
Felizes os que promovem a paz, pois serão chamados filhos de Deus.
Felizes os perseguidos por causa da justiça, pois o reino dos céus lhes pertence.
Felizes são vocês quando, por minha causa, sofrerem zombaria e perseguição, e quando outros, mentindo, disserem todo tipo de maldade a seu respeito.
Alegrem-se e exultem, porque uma grande recompensa os espera no céu. E lembrem-se de que os antigos profetas foram perseguidos da mesma forma. (Mateus 5:3-12, NVT)

O Sermão do Monte tem as diretrizes de Jesus para todas as áreas da vida e para os relacionamentos segundo a ética do Reino de Deus. A primeira parte desse Sermão é constituída pelo que costumamos chamar de bem-aventuranças. Vimos em um capítulo anterior como o caminho do discipulado é oposto ao caminho humanista da autossatisfação e da autonomia. Afinal, o que Jesus disse sobre a felicidade?

Antes, porém, devemos compreender melhor o que o Senhor está realmente dizendo com o termo "felizes". A palavra grega usada no original não reflete uma felicidade transitória ou circunstancial, mas aquela quem vem de Deus. Não se trata de um estado meramente afetivo-emocional. Assim, não é o sentimento que impera, mas a opinião divina ao nosso respeito quando praticamos as bem-aventuranças: o Senhor declara que somos felizes ao viver as bem-aventuranças.

Hoje em dia, a felicidade está atrelada a um lugar, a objetos ou até mesmo a pessoas. Além disso, nos últimos anos, a felicidade vem estando cada vez mais associada à ideia de bem-estar emocional. Entretanto, na perspectiva de Cristo, consiste em um caminho no qual o estilo de vida é cada vez mais enxertado no Reino de Deus. Assim, viver as bem-aventuranças não significa estar alegre todos os dias ou nunca estar triste. É viver em uma posição equilibrada diante do Criador, uma posição em que ele declara você feliz no Reino. Você pode chegar a sentir emocionalmente os benefícios das promessas, mas as recompensas são sempre vistas como algo além do que podemos ver ou experimentar na terra, pois são eternas.

Quem não gostaria de desfrutar dessa felicidade na perspectiva do Reino? As bem-aventuranças carregam promessas muito superiores às que normalmente acreditamos ser necessárias para a verdadeira felicidade. São propostas que curam emocionalmente porque são prescrições com promessas de resultados garantidos pelo próprio Senhor.

Enquanto muitas pessoas desejam um guia de "sete passos" ou códigos para a felicidade, as bem-aventuranças investigam quem é feliz aos olhos de Deus. No Sermão do Monte, Jesus nos diz que a vida feliz, ou melhor, a vida abençoada, tem oito características marcantes, que só podem ser praticadas com a ajuda do Espírito Santo. Quanto mais procuramos viver e praticar esses oito ensinamentos que nos levam ao caminho da felicidade, mais perto estaremos de viver segundo a vontade divina.

Para Cristo, a felicidade não pode ser comprada ou adquirida por mérito humano, mas é um presente gratuito cedido por meio da total submissão ao Criador. Assim, o Sermão do Monte começa nos ensinando que a verdadeira felicidade é a antítese do que o mundo entende por felicidade. Se quisermos de fato ser felizes, devemos orar e nos submeter ao Mestre para que essas oito características sejam cada vez mais impregnadas no nosso coração e estilo de vida, de modo que se tornem o nosso guia terapêutico de como viver bem.

Felizes os pobres de espírito, pois o reino dos céus lhes pertence

Os pobres de espírito são desprovidos de justiça própria no Reino. Não que lhes falte graça divina, mas não são barganhadores nem altivos. Dependem totalmente da graça, da misericórdia e da bondade para viver. Não têm orgulho, mas dependência; não são arrogantes, obstinados nem donos da verdade. Estão cientes de que precisam diariamente do Pão da vida dado por Deus para sobreviver. Não são "supercrentes" que vivem diante do Criador com arrogância ou narcisismo espiritual. Tampouco são cristãos tóxicos que exaltam espiritualidade incorreta. Preferem buscar sua identidade no Senhor. Os pobres de espírito têm o Reino porque confiam na graça.

Felizes os que choram, pois serão consolados

Felizes aqueles que choram profundamente por seus pecados e têm consciência de suas necessidades diante do Pai. Quem chora não permite que a dureza da vida anestesie suas emoções; eles sentem, lamentam, têm o coração quebrantado e a certeza de que serão sempre consolados. Tais sensibilidade e quebrantamento também se traduzem em um estilo de vida repleto de compaixão para com o sofrimento do próximo. Com a consolação que são consolados, estão sempre prontos a consolar. Os que choram não se põem como juízes, mas como agentes da compaixão. Choram por seus pecados, se arrependem e seguem em frente com o consolo do próprio Deus.

Felizes os humildes, pois herdarão a terra

Nesse contexto, humildes não são os desprovidos de recursos materiais. Os humildes têm e buscam autocontrole na vida e nas emoções. Não são soberbos, agressivos, vingativos ou ressentidos crônicos. Conseguem renunciar à sua "potência" para servir e amar o próximo. Têm domínio próprio; são conciliadores e vivem uma vida de gratidão. Submissos e controlados pela vontade divina, estão dispostos até mesmo a sofrer danos e a não reivindicar seus direitos. Herdarão a terra não pelas guerras nem pela agressividade, mas por terem um coração rendido a Deus.

Felizes os que têm fome e sede de justiça, pois serão saciados

Felizes serão os inconformados crônicos, que não se deixam anestesiar nem ficam indiferentes quando a dignidade de seu semelhante é ferida. Felizes os que têm fome espiritual para que a justiça de Deus se estabeleça sobre a terra, de modo que a Criação recupere o equilíbrio perdido pela dureza do coração humano. Estes vivem com incessantes fome e sede de justiça por onde passam. Não há lugar ou espaço nos quais não anseiem pela manifestação da bondade do Criador. Lutam de coração para que todos sejam tratados com igualdade.

Felizes os misericordiosos, pois serão tratados com misericórdia

Os misericordiosos são cheios de compaixão. Assim como receberam misericórdia de Deus, irradiam misericórdia por meio de seu estilo de vida. São sempre solidários com os outros em suas fraquezas, defeitos e pecados. São amorosos, não punitivos. Não exigem nada em troca da demonstração de compaixão. Olham o próximo e a si mesmos com os olhos do Pai; logo, são curados da culpa e do ressentimento. Vivem uma espiritualidade leve, porque são tratados com misericórdia pelo próprio Senhor.

Felizes os que têm o coração puro, pois verão a Deus

Os puros de coração são os que não têm apenas uma camada externa de religiosidade, mas aqueles cujo relacionamento com Deus lhes resultou em pureza interior. Para ver o Pai, temos de ser puros de coração, viver de modo transparente, livres de enganos, manipulações e máscaras. Os limpos de coração têm emoções, pensamentos e desejos cada vez mais tratados pelo Criador e reproduzem progressivamente o coração divino. Não vivem uma vida dupla, tampouco são falsos, hipócritas ou ambiciosos por poder. São mansos e humildes de coração e verão cada vez mais o Senhor.

Felizes os que promovem a paz, pois serão chamados filhos de Deus

O mundo carece de paz. Os consultórios psiquiátricos estão lotados de pessoas em busca de sossego na alma. Ter paz é uma riqueza incomparável nos nossos dias. Jesus disse que felizes serão os que promovem a paz. Quem odeia, segrega ou é indiferente ao próximo não a promove e tem o coração doente e incapaz de irradiar a bondade divina por onde passa. Há aqui uma grande promessa: ao promovermos a paz, seremos chamados filhos de Deus. De fato, somente alguém redimido do pecado e em paz com o Criador é capaz de doar a paz que o mundo não dá, mas que brota no coração do próprio Senhor. Promover a paz é ser embaixador do Pai perante os homens, ao propiciar reconciliação e pacificar corações. Os pacificadores fazem pontes sempre que possível, não guardam rancor, ressentimento ou intriga. Desde a Queda, não há paz no mundo, mas o discípulo feliz de Jesus é um frenético embaixador do evangelho da paz.

Felizes os perseguidos por causa da justiça, pois o reino dos céus lhes pertence

Se você perguntar a cem pessoas qual é a felicidade em sofrer perseguição, a maioria absoluta dirá que não há. Entretanto, não se trata da felicidade como o mundo vê, mas da perspectiva divina a respeito dela. Deus considera muito felizes os perseguidos por causa da justiça. Jesus nos diz que há um tipo de felicidade destinado àqueles que mantêm a fé no meio da corrupção do mundo e àqueles que assumem o custo de ser luz no mundo tomado pelas trevas. Perceba que não se trata de qualquer perseguição. Muitos se vangloriam de ser perseguidos, mas, na verdade, sofrem retaliação pela falta de sabedoria para com os "de fora da igreja". Ser perseguido por causa da justiça é ser odiado pelo seu estilo de vida condizente com o evangelho. Você poderá ser injuriado, caluniado e alvo de mentiras ou de tentativa de morte. Contudo, o Reino de Deus pulsará na mesma magnitude do seu sofrimento. Há um grande galardão para quem ousa desafiar o mundo e se mantém firme em suas convicções de fé.

► Você tem vivido o estilo de vida das bem-aventuranças?

_____

_____

_____

REFLEXÃO

A felicidade não é um lugar ao qual se chega, mas um caminho.

VERSÍCULO PARA MEDITAR

Bem-aventurados os pobres em espírito, pois deles
é o Reino dos céus. (Mateus 5:3)

DIA **27**

Pratique as bem-aventuranças

Aprendemos no capítulo anterior o que Jesus disse a respeito da felicidade e como Deus define as pessoas realmente felizes. Mais do que ler, devemos buscar praticar os ensinamentos deixados pelo Senhor para que, de fato, tenhamos a vida plena que ele disse que poderíamos ter.

Vamos começar! Para cada bem-aventurança, você escreverá três coisas: como você atualmente vive (ou não) essa bem-aventurança, uma ação que pode pôr em prática relacionada aos conceitos aprendidos e uma oração ao Pai para que, por meio do Espírito Santo, essa bem-aventurança se torne realidade visível na sua vida.

Felizes os pobres de espírito, pois o reino dos céus lhes pertence

▶ Como você vive (ou não) essa bem-aventurança.

_____

_____

_____

_____

_____

_____

▶ Uma ação que você pode pôr em prática a partir de hoje.

_____

_____

_____

_____

_____

_____

▶ Uma oração para que essa bem-aventurança se torne real na sua vida por meio do Espírito Santo.

_____

_____

_____

_____

_____

_____

_____

Felizes os que choram, pois serão consolados

▶ Como você vive (ou não) essa bem-aventurança.

_____

_____

_____

_____

▶ Uma ação que você pode pôr em prática a partir de hoje.

_____

_____

_____

▶ Uma oração para que essa bem-aventurança se torne real na sua vida por meio do Espírito Santo.

Felizes os humildes, pois herdarão a terra

▶ Como você vive (ou não) essa bem-aventurança.

▶ Uma ação que você pode pôr em prática a partir de hoje.

► Uma oração para que essa bem-aventurança se torne real na sua vida por meio do Espírito Santo.

_____

_____

_____

_____

_____

_____

Felizes os que têm fome e sede de justiça, pois serão saciados

► Como você vive (ou não) essa bem-aventurança.

_____

_____

_____

_____

_____

► Uma ação que você pode pôr em prática a partir de hoje.

_____

_____

_____

_____

_____

► Uma oração para que essa bem-aventurança se torne real na sua vida por meio do Espírito Santo.

_____

_____

_____

Felizes os misericordiosos, pois serão tratados com misericórdia

▶ Como você vive (ou não) essa bem-aventurança.

▶ Uma ação que você pode pôr em prática a partir de hoje.

▶ Uma oração para que essa bem-aventurança se torne real na sua vida por meio do Espírito Santo.

Felizes os que têm o coração puro, pois verão a Deus

▶ Como você vive (ou não) essa bem-aventurança.

_____
_____
_____
_____
_____
_____

▶ Uma ação que você pode pôr em prática a partir de hoje.

_____
_____
_____
_____
_____
_____
_____

▶ Uma oração para que essa bem-aventurança se torne real na sua vida por meio do Espírito Santo.

_____
_____
_____
_____
_____
_____
_____

Felizes os que promovem a paz, pois serão chamados filhos de Deus

▶ Como você vive (ou não) essa bem-aventurança.

_____
_____
_____

_____

_____

_____

_____

► Uma ação que você pode pôr em prática a partir de hoje.

_____

_____

_____

_____

_____

_____

► Uma oração para que essa bem-aventurança se torne real na sua vida por meio do Espírito Santo.

_____

_____

_____

_____

_____

_____

_____

_____

Felizes os perseguidos por causa da justiça, pois o reino dos céus lhes pertence

► Como você vive (ou não) essa bem-aventurança.

_____

_____

_____

_____

_____

_____

► Uma ação que você pode pôr em prática a partir de hoje.

_____

_____

_____

_____

_____

_____

► Uma oração para que essa bem-aventurança se torne real na sua vida por meio do Espírito Santo.

_____

_____

_____

_____

_____

_____

_____

_____

DIA 28

Ore como Jesus orou

Vocês, orem assim: "Pai nosso, que estás nos céus! Santificado seja o teu nome. Venha o teu Reino; seja feita a tua vontade, assim na terra como no céu. Dá-nos hoje o nosso pão de cada dia. Perdoa as nossas dívidas, assim como perdoamos aos nossos devedores. E não nos deixes cair em tentação, mas livra-nos do mal, porque teu é o Reino, o poder e a glória para sempre. Amém". (Mateus 6:9-13)

Esse talvez seja um dos trechos bíblicos mais recitados em todos os tempos, uma vez que aprendemos a orar o Pai-nosso desde a infância. Entretanto, talvez por ser tão repetida sem os devidos cuidado e atenção, deixamos de aprender com o próprio Jesus a maneira de orar que une o nosso coração ao coração de Deus.

O Senhor nos ensinou que orar não deve ser uma vã repetição sem sentido. Além disso, o Pai sabe das nossas necessidades mesmo antes de lhe dirigirmos a palavra. Cristo também nos ensinou propositalmente um roteiro de oração que abrange todo o escopo das nossas necessidades diárias, sobretudo nesta era cada vez mais marcada pelo ritmo acelerado e, não raro, angustiante.

Quando passamos por crises emocionais, constantemente perdemos a capacidade de orar. Abatida pela depressão ou inquieta pela ansiedade, a nossa mente divaga à procura de palavras e acabamos fazendo orações sem sentido. Então, o que devemos fazer? Como orar? Por que orar?

Pelo que orar? O Mestre nos ensinou o caminho que obviamente não serve apenas para pessoas adoecidas emocionalmente ou como simples terapia para a alma. Contudo, ao orar conforme realmente indicado, saberemos que os nossos anseios estarão emocional, intelectual e espiritualmente alinhados aos propósitos divinos.

É muito comum que os pacientes cheguem às consultas sem saber expressar seus sentimentos, tampouco nomeá-los. Nesses casos, fazemos perguntas-chave ou introduzimos conceitos que ajudam a traduzir as emoções em palavras, expressando, assim, da maneira mais fidedigna possível, as emoções dos pacientes.

Jesus tinha consciência de que não saberíamos orar como convém; por isso, decidiu ensinar-nos.

"Pai nosso que estás nos céus"

Não oramos a uma entidade impessoal e insensível, mas ao nosso Pai que está nos céus! Ele não rejeita o pedido dos filhos nem lhes impõe pré-requisitos. Podemos ser rejeitados por muitos na terra, mas, ao orar, devemos ter consciência de que estamos diante daquele que é amoroso e está profundamente interessado em nos ouvir, por mais incongruentes ou paradoxais que sejam as nossas falas. Comece a oração chamando Deus de Pai. Ele é soberano, Criador dos céus e da terra e sustenta todo o Universo com o poder que tem. Todavia, Jesus insiste para nos atrevermos a chamá-lo de Pai!

"Santificado seja o teu nome"

Uma vez que Deus é o nosso Pai e é santo, oramos para que o nome dele seja honrado e reverenciado por todos na terra. Estamos diante de um Pai amoroso e sublime. Se a nossa visão de Deus nos desperta tanta paixão e tanto encantamento, santificamos o nome dele e reconhecemos com alegria a sua grandeza. Você está orando diante do Criador do Universo.

"Venha o teu reino"

Devemos desejar que o Reino de Deus venha a nós. Sim, ainda não vivemos a plenitude do reinado divino: convivemos com a dor, com a fome e com inúmeras injustiças. No entanto, pedimos ao Criador que o Reino de Deus governe cada área da nossa vida, quer as emoções, quer os pensamentos, trabalho ou família etc. Orar para que ele se estabeleça em nós nos liberta da busca pela "autonomia tóxica" da era humanista, algo que tanto nos adoece. Além disso, o Reino vivo em nós freia anseios compulsivos de tudo aquilo que tenta substituir Cristo na nossa vida. Devemos orar para que o reinado se propague por toda a terra.

"Seja feita a tua vontade, assim na terra como no céu"

Somos constantemente chamados a viver conforme nossa vontade e ser a melhor versão de nós mesmos. Para a sociedade, importa que sejamos felizes e que a nossa vontade seja feita, custe o que custar, doa a quem doer. Entretanto, Jesus nos ensina um caminho diferente. Como temos um Pai amoroso, que sabe de todas as coisas e governa o Universo, precisamos viver o caminho da oração, o da submissão da nossa vontade à dele. Assim, oramos para que a vontade divina, não a nossa, seja feita na terra. Somos constantemente estimulados a ter o controle de tudo, mas, na oração do Pai-nosso, renunciamos a uma pretensa autonomia. Temos certeza de que a vontade de Deus é boa, perfeita e agradável, e pedimos para que ela se manifeste em cada área da nossa vida.

"Dá-nos hoje o nosso pão de cada dia"

Pedimos pelo pão diário depois de reconhecer Deus como Pai, adorá-lo e desejar que o Reino e a vontade divina sejam estabelecidos na terra. Assim, antes de orar pelas nossas necessidades materiais, o clamor deve ter como centro o próprio Senhor. Entretanto, não é um impedimento para fazer petições. Devemos saber o que pedir. Um homem rendido ao senhorio de Cristo e desejoso de ver a vontade divina estabelecida sabe que o Criador supre as nossas necessidades diárias. Não precisamos nos apresentar diante do Senhor impondo impensados desejos hedonistas ou materialistas. Pedimos pelo pão diário, pelo suprimento das necessidades que o Pai julga serem importantes para a existência. Você é livre para levar todos os seus pedidos a Deus; Jesus não nos proibiu de pedir. No entanto, peça-lhe a porção exata para mantê-lo equilibrado material e emocionalmente.

"Perdoa as nossas dívidas, assim como perdoamos aos nossos devedores"

Talvez uma das maiores realidades que vi em quase vinte anos de consultório foi compreender o poder terapêutico do perdão. Perdoar é mergulhar em um rio de terapia. Devolve a paz. Entretanto, Jesus nos alerta a pedir perdão divino conforme nós o concedemos aos demais. Assim, em cada oração

ORE COMO JESUS OROU **225**

devemos predispor o coração sem reservas, pedir perdão pelos nossos pecados e clamar por eventual auxílio para fazer o mesmo em relação ao próximo. Precisamos estar cientes dos nossos pecados e pedir misericórdia sem
permitir que a amargura ou o sentimento de ódio por outras pessoas criem
ninhos no nosso coração. Perdoar e ser perdoado resultam em ser curado.

"E não nos deixes cair em tentação"

A tentação fará parte da nossa vida. É impossível viver sem ser tentado. Na
nossa cultura, normalmente associamos a tentação a algo sexual, mas o
contexto é muito mais amplo. Podemos ser afligidos por inúmeras situações
ruins (e até boas) que podem nos distanciar de Deus ou nos levar a nutrir
sentimentos de raiva e talvez de rejeição. Devemos orar para que a nossa fé
não desmorone em meio às tentações que continuamente batem à nossa
porta e para não sucumbirmos às seduções do pecado. O nosso coração é
enganoso. Oremos diariamente para não cairmos em tentação.

▶ Você tem orado a respeito desse tema e pedido ao Senhor por uma
cerca de proteção maior do que as tentações?

_____

_____

_____

"[...] mas livra-nos do mal"

A última petição é um pedido direto de proteção contra as forças espirituais
do mal. Se, por um lado, existem pessoas verdadeiramente paranoicas do
ponto de vista espiritual, que veem o Diabo em todo lugar; por outro lado,
os que ignoram as forças espirituais do mal militam constantemente contra
a nossa vida. Satanás quer matar, roubar e destruir, o que inclui também as
nossas emoções. Devemos orar diariamente a Deus para que nos proteja,
livre do mal e blinde contra as astutas setas e ciladas do Maligno. Batalhas
espirituais são vencidas por meio da oração.

▶ Você tem orado pedindo proteção espiritual ao Senhor?

_____

_____

_____

"[...] porque teu é o Reino, o poder e a glória para sempre"

De certa forma, o Pai-nosso termina como começou. Mencionamos novamente que a Deus pertence o Reino, que ele tem todo o poder e que a glória dele durará para sempre. Estamos certos do governo divino sobre o Universo, do poder dele para fazer tudo o que precisamos (ou que ele julgue necessário) e da glória indivisível que ele tem. Ao reconhecer esses três pontos, temos ainda mais confiança e fé nas orações ouvidas pelo Criador infinito e poderoso; em dias bons ou ruins, de felicidade ou tristeza, em dias de confiança ou crises de fé, podemos aprender com Jesus a orar como ele nos ensinou: "Pai nosso...".

PRÁTICA 1
ORANDO O PAI-NOSSO

▶ Escreva uma oração seguindo o roteiro da oração que Jesus nos ensinou.

DIA 29

Saiba quem você é em Cristo

Vocês já estão limpos, pela palavra que tenho falado. Permaneçam em mim, e eu permanecerei em vocês. [...] Nenhum ramo pode dar fruto por si mesmo se não permanecer na videira. Vocês também não podem dar fruto se não permanecerem em mim. Meu Pai é glorificado pelo fato de vocês darem muito fruto; e assim serão meus discípulos. Como o Pai me amou, assim eu os amei; permaneçam no meu amor. [...] Ninguém tem maior amor do que aquele que dá a sua vida pelos seus amigos. Vocês serão meus amigos, se fizerem o que eu ordeno. Já não os chamo servos, porque o servo não sabe o que o seu senhor faz. Em vez disso, eu os tenho chamado amigos, porque tudo o que ouvi de meu Pai eu tornei conhecido a vocês. Vocês não me escolheram, mas eu os escolhi para irem e darem fruto, fruto que permaneça, a fim de que o Pai conceda a vocês o que pedirem em meu nome. (João 15:3,4,8,9,13-16)

Portanto, se alguém está em Cristo, é nova criação. As coisas antigas já passaram; eis que surgiram coisas novas! (2Coríntios 5:17)

Na época em que vivemos, fala-se muito sobre identidade. Até no discurso político, o tema é alvo de diversos debates na tentativa de definir quem e o que de fato somos. As pessoas buscam identificar-se por meio de laços culturais, nacionalidades, gênero e até por conceitos líquidos sem significado.

228 PSIQUIATRIA E JESUS

A grande verdade, porém, é que precisamos ter uma identidade e saber quem somos. Muitas pessoas estão doentes emocionalmente por não saberem de fato quem são, seu propósito de vida e o que espera por elas no futuro. Por isso, creio que um dos pontos centrais da fé cristã é sabermos de fato quem somos em Cristo. Pode parecer algo periférico, mas os que têm uma identidade firme adoecem menos e estão menos sujeitos a oscilações emocionais que provêm do ambiente em que vivem. Fica, então, o questionamento individual: qual é a minha identidade?

Antes de mais nada, devemos compreender que, para de fato termos equilíbrio emocional, precisamos nos desprender da ideia de que sozinhos construímos uma identidade. Se buscarmos a nossa identidade apenas com as próprias forças, tentando nos fazer autoafirmações sobre o que gostaríamos de ser, entraremos em uma espiral de cansaço e esgotamento. Muitos

> **Você não é capaz de definir a sua identidade sozinho.**

movimentos seculares centrados em temas como o poder do pensamento positivo ou a mudança de mentalidade falharão (ou terão muitas limitações) porque acreditam ser possível, apenas com a força da mente humana, promover mudanças estruturais profundas na nossa identidade.

A jornada humana do autoconhecimento pode beneficiar-se, em grande medida, de conhecimentos seculares, mas precisamos de algo externo para nos definir e dizer quem somos. Psicoterapia, bons livros, programas bem estruturados de gestão das emoções e outras ferramentas podem gerar ganhos consideráveis na formação e na percepção de quem somos. Contudo, quando consideramos a fé cristã, somos convidados a um caminho mais excelente: Deus nos liberta da tirania do eu, da busca por soluções dentro de nós e da esgotante tentativa de nos definirmos pelas nossas próprias forças. Uma vez em Cristo, o Pai é quem define quem somos e, então, somos libertos de inúmeros conflitos internos que adoecem.

Muitos cristãos passam a vida toda sem entender completamente quem o Senhor nos criou para ser e tudo o que ele lhes deu por meio da obra consumada na cruz. Têm um tesouro imenso, mas nunca abriram o cofre para saber de fato o que há dentro. Paulo, na carta de Efésios, faz uma oração que nos ensina muito:

> Peço que o Deus de nosso Senhor Jesus Cristo, o glorioso Pai, dê a vocês espírito de sabedoria e de revelação, no pleno conhecimento dele. Oro também

para que os olhos do coração de vocês sejam iluminados, a fim de que vocês conheçam a esperança para a qual ele os chamou, as riquezas da gloriosa herança dele nos santos e a incomparável grandeza do seu poder para conosco, os que cremos, conforme a atuação da sua poderosa força (Efésios 1:17-19).

Tenho o hábito de fazer essa oração de Efésios constantemente nos meus devocionais, porque acredito que ela abrange tudo de que necessitamos para viver até a vinda do Senhor. Não é um mantra ou uma frase repetitiva, mas peço ao Senhor que ela se cumpra na minha vida, fazendo que a vida divina seja não apenas compreendida, mas que também flua cada vez mais dentro do meu coração. É um clamor importante para a formação da nossa identidade espiritual e para vermos o mundo.

Ore para saber quem você é em Cristo.

O primeiro ponto sobre o qual Paulo ora é para termos Espírito de sabedoria. Conhecimento é diferente de sabedoria. As pessoas buscam muito conhecimento, mas poucos pedem a sabedoria do Pai, que é ver o mundo com os olhos espirituais e enxergá-lo divinamente. É ver o mundo como Deus o vê.

É comum orar para viver bem, mas poucas pessoas clamam incessantemente para que o Pai lhes conceda Espírito de sabedoria. Se tivermos a sabedoria divina, teremos o coração pacificado e viveremos cada vez mais alicerçados na vontade do Senhor. Mais que mero conhecimento acadêmico ou intelectual, o cristão deve pedir por sabedoria espiritual, pois isso vai curar progressivamente suas emoções, uma vez que corrigirá as distorções do coração perante a vida e o próximo. Precisamos dos olhos do Criador para ver as coisas como de fato são.

O segundo pedido de Paulo é pelo espírito de revelação. Não se trata apenas de ter revelação e profecia; é muito mais profundo. É ter os olhos abertos pelo Espírito Santo de tal maneira que possamos compreender o nosso chamado diante de Deus, quem somos e como é a Criação aos olhos do Pai. A nossa visão será sempre míope e focada no material, mas o Espírito pode nos fazer ver além do que a retina é capaz de captar. Já imaginou quantos traumas ou angústias deixaríamos para trás se fôssemos verdadeiramente iluminados quanto à nossa identidade em Cristo?

É essencial clamar por revelação espiritual. Não somos reféns da dura realidade do que podemos ver. Ao orar, sempre peça por espírito de

230 PSIQUIATRIA E JESUS

sabedoria e revelação, pois isso mudará a sua vida. Assim que fiz dessa oração uma prática, tenho tido profundas mudanças na minha identidade e na maneira de ver a vida. Estou sendo curado.

O terceiro ponto sobre o qual Paulo ora é para que os olhos do coração sejam iluminados a fim de que tenhamos acesso à esperança para a qual Deus nos chamou. O mundo está cada vez mais imerso em sofrimento, e nunca as pessoas estiveram tão sem esperança. Os consultórios psiquiátricos estão cheios de pessoas que não conseguem apontar uma razão para viver. Contudo, o apóstolo nos ensina a clamar para que o Criador nos abra os olhos para conhecer a esperança à qual Deus nos chamou. Essa verdade não é apenas intelectual, mas viva no nosso coração. O presente e o futuro no Pai são uma grande bênção. Fomos perdoados, adotados como filhos e salvos; além disso, temos o Espírito Santo.

Não podemos deixar os dias passarem sem pedir que Deus nos inunde de esperança. Nos dias tristes e nos labirintos da alma, essa esperança divina nos leva a um grande regozijo pelas promessas do Pai a nós. Quanto mais impregnados de esperança, menos seremos tomados pelo medo do futuro. Não veremos a volta de Jesus como um período de sofrimento mortal, mas como a certeza definitiva da redenção. Temos de entrar em plena sintonia espiritual com o Criador para que a esperança dele nos cure diariamente. A maioria dos nossos dilemas emocionais seria progressivamente reduzida se compreendêssemos melhor a esperança para a qual fomos chamados.

O quarto ponto sobre o qual Paulo nos ensina a orar é para conhecermos as riquezas da gloriosa herança de Deus. Em geral, nós nos preocupamos em deixar uma herança material para os nossos filhos. O Criador, porém, nos vê como sua magnífica riqueza e preciosa herança. Precisamos compreender quanto somos amados e preciosos para o Pai celestial. Ele nos escolheu para ser "[...] geração eleita, sacerdócio real, nação santa, povo exclusivo dele, para anunciar as grandezas daquele que nos chamou das trevas para a sua maravilhosa luz" (1Pedro 2:9).

A nossa identidade deve ser definida pelo conceito correto de riqueza. Os movimentos de autoajuda tentam insistentemente nos dizer que somos especiais, mas sabemos que por nós mesmos nada nos torna de fato especiais nem extraordinários. Entretanto, em Cristo, somos herança divina. Devemos louvar a Jesus, que nos deu uma nova identidade.

Por fim, devemos conhecer o poder de Deus que atua em nós e por meio de nós. É uma força poderosa: o Senhor se move dentro de nós pelo

Espírito Santo. Não precisamos do poder do pensamento positivo, mas do divino em atuação na nossa vida: o da ressurreição de Cristo. Precisamos orar para que esse poder seja uma força viva, real e atuante na nossa mente e no nosso coração. Esse poder é capaz de fazer todas as coisas. Precisamos de entendimento e discernimento de como o Pai age em nós.

Uma vez que aprendermos a orar para que a vida divina se manifeste em nós e por meio de nós, devemos também ter firmes no coração as verdades das Escrituras sobre quem somos em Jesus.

Vejamos qual é a identidade em Cristo:

- Você é filho de Deus (João 1:12; 1João 3:1).
- Você foi reconciliado com Deus (2Coríntios 5:18).
- Você é amigo de Jesus (João 15:14).
- Você é coerdeiro de Jesus e compartilha sua herança com ele (Romanos 8:17).
- Você está unido a Deus em um só espírito, é um templo de Deus, e o Espírito Santo vive em você (1Coríntios 6:17-19).
- Você é membro do corpo de Cristo (1Coríntios 12:27).
- Você é santo e justificado (Efésios 1:1; Romanos 5:1).
- Você foi redimido e perdoado dos pecados do passado e dos que virão no futuro (Colossenses 1:14).
- Você é livre de toda condenação (Romanos 8:1).
- Você é uma nova criação (2Coríntios 5:17).
- Você foi escolhido por Deus e predestinado para ser filho por meio de Cristo (Efésios 1:5).
- Você não precisa ter espírito de medo, mas de amor e poder, além de uma mente saudável (2Timóteo 1:7).
- Você é um colaborador de Deus (1Coríntios 3:9).
- Você está assentado nos lugares celestiais com Cristo (Efésios 2:6).
- Você tem acesso direto ao trono de Deus (Efésios 2:18).
- Você foi escolhido para dar frutos (João 15:16).
- Você pode sempre desfrutar a presença de Deus porque ele nunca o abandona (Hebreus 13:5).
- Deus trabalha em você para ajudá-lo a fazer o que ele deseja que você faça (Filipenses 2:13).
- Você pode pedir sabedoria a Deus, e ele lhe dará o que você precisa (Tiago 1:5).

Como a identidade impacta as suas emoções?

1. O adoecimento emocional pode fazê-lo sentir que não tem amigos, mas você é amigo de Cristo (João 15:15).

2. O adoecimento emocional pode fazê-lo sentir-se abandonado pela sua família, mas você é filho de Deus e membro da família dele (João 1:12; 1Coríntios 12:27; Efésios 5:30).

3. Você pode se sentir inútil, mas foi escolhido por Deus para frutificar (João 15.16).

4. O transtorno mental pode fazê-lo se sentir indigno de Deus, mas você é habitação de Deus pelo Espírito Santo (1Coríntios 3:16).

5. O adoecimento emocional pode fazê-lo sentir-se não perdoado, mas Deus o considera perdoado e justificado (Romanos 5:1).

6. Você pode se sentir condenado para sempre, mas Deus o considera absolvido eternamente (Romanos 8:1).

7. O adoecimento emocional pode fazê-lo sentir-se incapaz ou com a mente fragilizada, mas Deus dá a você a mente de Cristo (1Coríntios 2:16).

8. O adoecimento emocional faz você pensar que a sua vida é um erro, mas você foi escolhido por Deus antes da fundação do mundo (Efésios 1:4).

9. Você pode ficar preso a culpas do passado, mas foi redimido e perdoado por Deus mediante sua graça (Efésios 1:5).

10. Você pode achar que seus problemas não têm solução, mas Deus afirma que para ele nada é impossível (Lucas 18:27).

11. Você pode achar que não tem forças para lutar contra Satanás, mas foi libertado por Deus do domínio do mal (Colossenses 1:13).

Esses são apenas alguns pontos da nova identidade espiritual que o cristão pode considerar reais na sua nova vida. Entregar a vida ao Senhor e não conhecer essas verdades e promessas divinas implicam receber uma grande herança e nunca desfrutá-la. É ser visto de uma forma por Deus e se enxergar de outra. É viver um cristianismo raso, superficial, apoiado nas próprias forças e depender unicamente de si mesmo. É ser prisioneiro das próprias emoções. Ore para que a sua identidade em Cristo seja percebida e manifesta. Você é amigo de Deus e uma nova criação em Cristo.

SAIBA QUEM VOCÊ É EM CRISTO **233**

PRÁTICA 1
QUEM VOCÊ É EM CRISTO

▶ Escreva como você se vê em Cristo.

_____
_____
_____
_____
_____
_____
_____

▶ Considerando todos os pontos sobre a sua real identidade em Cristo, escreva o que precisa ser instalado na sua mente, de maneira que você passe a vivê-la.

_____
_____
_____
_____
_____

▶ Escreva uma oração pedindo a Deus para viver cada vez mais uma nova identidade em Cristo.

_____
_____
_____
_____
_____
_____
_____
_____
_____
_____
_____

DIA **30**

Seja prático
e procure ajuda

Jesus disse aos seus discípulos: "O administrador de um homem rico foi acusado de estar desperdiçando os seus bens. Então ele o chamou e lhe perguntou: 'Que é isso que estou ouvindo a seu respeito? Preste contas da sua administração, porque você não pode continuar sendo o administrador'. "O administrador disse a si mesmo: 'Meu senhor está me despedindo. Que farei? Para cavar não tenho força e tenho vergonha de mendigar... Já sei o que vou fazer para que, quando perder o meu emprego aqui, as pessoas me recebam em suas casas'. "Então chamou cada um dos devedores do seu senhor. Perguntou ao primeiro: 'Quanto você deve ao meu senhor?' 'Cem potes de azeite', respondeu ele. "O administrador lhe disse: 'Tome a sua conta, sente-se depressa e escreva cinquenta'. "A seguir ele perguntou ao segundo: 'E você, quanto deve?' 'Cem tonéis de trigo', respondeu ele. "Ele lhe disse: 'Tome a sua conta e escreva oitenta'. "O senhor elogiou o administrador desonesto, porque agiu astutamente. Pois os filhos deste mundo são mais astutos no trato uns com os outros do que os filhos da luz". (Lucas 16:1-8)

A parábola do administrador infiel sempre foi uma das mais intrigantes da Bíblia. A história expõe um administrador desonesto com o patrão que o puniu. Após a decisão, ele elaborou um plano para o período pós-demissão: concedeu descontos aos devedores; essa atitude foi elogiada até mesmo

SEJA PRÁTICO E PROCURE AJUDA **235**

pelo patrão, porque o ex-empregado havia sido prático e astuto diante de uma situação tão grave. Jesus nos disse, com essa parábola, que os filhos do mundo são mais astutos no trato uns com os outros que os filhos da luz. Contudo, é importante frisar que a parábola não apresenta o administrador infiel como um exemplo ético e moral. O Senhor não elogiou o ato contrário à lei, mas afirmou que, mesmo assim, ele era astuto e digno de atenção.

Se o zelo com as coisas materiais e seculares daqueles que não servem a Deus fosse exemplo para a vida espiritual dos cristãos, viveríamos mais próximos da plenitude do Reino de Deus. O administrador infiel foi prático e pensou rapidamente no futuro e em outro lugar para morar. Diante da dor, não esperou inerte que os dias passassem (como quem diz que o tempo cura tudo), mas planejou uma solução para sair daquela situação. Refletiu, ponderou e, de maneira ousada, executou um plano que talvez o tirasse daqueles dias de estresse. Com a vida prestes a desmoronar, tomou uma posição. Não deixou o tempo de estresse aumentar. Ele não deixou que o estresse emocional o paralisasse, mas decidiu — pelo menos tentou — sair daquela situação.

Na verdade, o ponto principal da parábola são as questões espirituais. Entretanto, quando falamos de saúde mental e fé cristã, também percebemos no consultório que muitas vezes os "filhos deste mundo são mais astutos no trato uns com os outros do que os filhos da luz". São mais práticos, efetivos e rápidos em cuidar de situações estressantes como doenças físicas ou emocionais. Ao menor sinal de adoecimento, procuram ajuda médica ou psicológica especializada. De maneira geral, os pacientes mais graves que atendo são cristãos, pois demoram substancialmente para buscar ajuda profissional.

Enquanto os transtornos mentais forem vistos por muitos cristãos apenas como desordens espirituais, as ferramentas médicas ou psicológicas serão malvistas e pouco recomendadas. Ainda hoje, muitos líderes religiosos impedem os membros de buscar tratamento. Não é raro que os cristãos se tornem administradores infiéis do corpo e da saúde mental. Atribuem ao Diabo questões psiquiátricas e aconselham os cristãos a não buscar ajuda; alimentam preconceitos ou tabus que só agravam o quadro. Talvez um grupo até reconheça que precisa de ajuda médica ou psicológica; entretanto, protela a busca por soluções e perde meses, ou anos, sem receber um tratamento adequado para depressão, ansiedade ou outros transtornos psiquiátricos.

É muito interessante que, nas Escrituras, quando Timóteo estava doente, Paulo recomendou que ele usasse o remédio disponível na época: vinho, uma vez que, na Antiguidade, o vinho era conhecido por seu poder terapêutico. O apóstolo se preocupou com a saúde de seu discípulo: "Não continue a beber somente água; tome também um pouco de vinho, por causa do seu estômago e das suas frequentes enfermidades" (1Timóteo 5:23). Paulo orava por Timóteo e já tinha realizado muitas curas. O apóstolo tinha fé, acreditava no poder da oração e não tinha dúvida de que Jesus poderia curar Timóteo. Contudo, seu conhecimento não o impediu de usar a medicação da época.

Esse texto não deve ser usado para estimular o uso desenfreado de bebidas alcoólicas, mas serve para nos mostrar que, se Paulo estivesse vivo, não recusaria os diversos recursos médicos disponíveis. Todavia, uma parcela dos cristãos ainda é preconceituosa em relação aos medicamentos psiquiátricos. Até aceitam tratamentos para o fígado, para o rim, óculos e procedimentos estéticos, mas, quando falamos de transtornos mentais, recusam tratamento medicamentoso por acreditarem ser falta de fé ou de confiança em Deus.

Ao compreender o homem como ser biológico, emocional e espiritual, devemos buscar ajuda nas três áreas quando passamos por algum transtorno mental. Se negligenciarmos os recursos que a ciência comprovadamente considera eficazes, seremos administradores infiéis do nosso corpo e das nossas emoções. Integrar uma espiritualidade terapêutica na prática da psicoterapia e, em alguns casos, da psiquiatria será um caminho prático e eficaz para obter a cura ou melhorar os sintomas emocionais.

Como cristãos, sabemos que o Filho de Deus tem poder para curar qualquer enfermidade. Entretanto, inúmeras vezes, a cura de doenças físicas ou emocionais não será milagrosa. Deus usará profissionais que nos ajudem a recuperar a saúde física e mental.

Nestes anos de prática clínica, presenciei milagres e recuperações emocionais sem explicação médica satisfatória em pessoas que experimentaram a cura em Jesus. Hoje atendo centenas de pastores e líderes cristãos no consultório. Muitos têm testemunhos incríveis de fé e uma vida cristã extremamente frutífera. O fato de serem cristãos piedosos não os impediu de ter um transtorno mental. A oração cheia de fé deles não os impediu de buscar tratamento médico para que se recuperassem emocionalmente.

A cura das enfermidades é um grande mistério. Não sabemos quais critérios o Pai usa para curar ou não alguém de forma milagrosa. A Bíblia nos orienta a orar e pedir com fé, perseverando em oração. Dessa forma, devemos clamar continuamente pela cura divina emocional. Em muitos casos, porém, a cura não virá como gostaríamos. Um amigo oncologista, certo vez, me contou que alguns cristãos são curados de câncer, não por meio de milagres, mas com tratamentos oncológicos. Em alguns casos, Deus cura muitos por meio da morte, pois na glória não há dor nem enfermidade. Hoje em dia, é difícil ver um cristão recusar um tratamento oncológico quando tem um diagnóstico de câncer. No entanto, é extremamente frequente o número dos que recusam o tratamento psiquiátrico.

Medicamentos psiquiátricos não devem ser vistos como inimigos, mas aliados da recuperação rápida e eficaz da saúde mental. Infelizmente, por não aceitar que o cérebro adoece como os demais órgãos do corpo, muitos cristãos ainda se recusam a procurar um psiquiatra. Como dissemos, assim como se usam medicamentos para o tratamento de diabetes, hipertensão e outras doenças, os psicofármacos devem ser usados sem medo ou restrição, caso sejam prescritos. A função deles é atuar no cérebro, nas áreas responsáveis por humor, energia, prazer, sono, apetite e nos locais envolvidos na gênese dos sintomas.

Em relação à procura por um psicólogo, não é diferente. É inacreditável que ainda hoje escutemos alguns líderes religiosos dizerem que a psicoterapia é uma prática contrária à Palavra de Deus. Apesar de existirem princípios contrários às Escrituras em algumas vertentes da psicologia, um profissional capacitado sabiamente ajudará você a filtrar adequadamente o que é necessário para a sua recuperação.

A psicoterapia feita por um psicólogo é de fundamental importância para a identificação de processos familiares disfuncionais, erros cognitivos, esquemas mentais destrutivos, distorções da realidade e diversos outros fatores que podem estar no cerne dos quadros psiquiátricos. A psicoterapia é uma reabilitação da vida emocional. Por isso, rejeite frases do tipo "Deus é o meu psicólogo", "Não vou pagar a alguém para que me ouça; para isso tenho amigos e namorado", "Serei curado apenas com aconselhamento pastoral". Lembre-se de que Deus é bondoso e, pela graça, deu dons aos homens para que tenham ferramentas úteis para a recuperação física, mental e emocional.

Nenhum dos dados apresentados anula a importância do aconselhamento pastoral ou bíblico. Muitas questões relacionadas a quebras de princípios espirituais descritas nas Escrituras devem ser resolvidas com confissão e tratamento do pecado. A psicologia não se propõe a resolver o seu problema com o pecado. Questões psicológicas, se não forem adequadamente tratadas, porém, podem ser a porta de entrada para tropeçar nas mesmas pedras e cair nos mesmos pecados. Cuidar da alma e das emoções é extremamente espiritual.

Acredito plenamente que um bom aconselhamento pastoral e a participação em uma comunidade de fé saudável são de fundamental importância para todo cristão que busca avançar emocionalmente nas diversas áreas da vida. Diversos casos psiquiátricos leves se tornam graves por falta de tratamento precoce, o que indica que muitos cristãos têm vida espiritual infrutífera porque não cuidam do lado emocional. Infelizmente, mesmo com tanto conhecimento, até nas redes sociais, é grande a recusa a procurar ajuda.

É importante frisar que não se deve reduzir o tratamento das questões psiquiátricas apenas ao tratamento médico ou psicológico. Estudos mostram que qualquer tratamento isolado não é capaz de tratar todos os pacientes.[1] Dessa forma, integrar cuidados de nutrição, de preparadores físicos e outros profissionais que promovam a saúde é uma maneira ainda mais sábia de obter os resultados desejados. As doenças psiquiátricas têm sido cada vez mais vistas como multifatoriais. Assim, não é correto pensar que basta tomar uma cápsula por dia para ter cura permanente. Em alguns casos, os medicamentos serão para o resto da vida; em outros, darão suporte para que medidas de saúde sejam implementadas e os medicamentos sejam dispensados no futuro.

Não há soluções mágicas e extraordinárias nem receitas e métodos de solução linear para todas as questões emocionais. Precisamos buscar em Cristo sabedoria para compreender os motivos de passar por sofrimentos e dilemas humanos. Sabemos que Jesus compreende as nossas emoções e está sempre pronto a nos ajudar como motivo de grande esperança.

Oro para que a leitura deste livro seja o começo da busca de soluções para a sua saúde física, mental e espiritual. Atitudes extremistas quanto à saúde mental não ocupam espaço na caminhada cristã.

Que Deus traga saúde emocional e capacitação a todos que cruzarem o seu caminho em busca de ajuda. Que Jesus ilumine a sua e a minha jornada!

---

[1] Dois dos estudos disponíveis são: (1) Voineskos, D.; Daskalakis, Z.; Blumberger, D. "Management of treatment resistant depression: challenges and strategies", *Neuropsychiatr. Dis. Treat.*, 21 jan. 2020, n. 16, p. 221-34; (2) Manchia, M. et al. "A multidisciplinary approach to mental illness: do inflammation, telomere length and microbiota form a loop?: a protocol for a cross sectional study of the complex relationship between inflammation, telomere length, gut microbiota and psychiatric disorders", *BMJ Open.*, 26 jan. 2020, n. 10 (1).

PRÁTICA 1

▶ Escreva sobre o aprendizado que você teve com a leitura deste livro.

_____

_____

_____

_____

_____

▶ Qual é o próximo passo que você dará para ter mais saúde emocional?

_____

_____

_____

_____

_____

▶ Como você acredita ser possível ajudar pessoas na igreja ou comunidade?

_____

_____

_____

_____

_____

▶ Faça uma lista de cinco pontos relacionados à sua saúde mental e se comprometa a orar por eles durante trinta dias.

_____

_____

_____

_____

Lembre-se de revisitar as suas anotações, reconhecer o seu crescimento e, o mais importante, prosseguir em conhecer a Cristo.